역발상의 과학

더하고 빼고 뒤집으면 답이 보인다

역발상
의
과학

김준래 지음

오엘북스

어렵고 힘든 시기입니다. 잠시 주춤했던 코로나19가 다시 확산되면서 2020년은 코로나 바이러스가 지배한 시기로 기록될 것 같습니다. 새해를 맞이해 뭔가 돌파구를 찾을 수 있으면 좋을 텐데 아직은 그 무엇도 장담하기가 어려운 상황입니다. 그렇다고 한탄만 하고 있을 수도 없죠. 도무지 희망이라고는 보이지 않는 이런 상황에서 우리가 할 수 있는 일은 생각의 전환, 즉 '역발상'이 아닐까 생각합니다. 실제로 인류의 역사를 보면 역발상을 통해 많은 고난과 재앙을 극복해왔죠.

제가 역발상에 관심을 갖게 된 것은 고대 그리스의 과학자이자 수학자였던 아르키메데스Archimedes 때문입니다. 기원전 215년 로마 함대가 그리스를 공격했을 때, 그가 청동거울로 로마 함선들을 불태웠다는 기록을 읽으며 전율했던 기억이 지금도 새롭습니다. 볼록렌즈로 태양광을 모아 불을 붙이는 원리를 이용한 것이었죠. 아르키메데스는 지금으로부터 2000년도 훨씬 전에 살았던 인물입니다. 그렇게 까마득히 오래전에 화살과 칼로 싸우지도 않고 오로지 햇빛을 이용해 적의 선박을 불태운 역발상 전략에 감탄을 금할 수 없었습니다.

더 놀라운 점은 워낙 오래전 일이라 전설처럼 내려오던 이 기록이 지난 1973년 그리스 과학자들에 의해 사실로 확인되었다는 점입니다. 그리스 과학자들이 고대 그리스의 문헌대로 청동거울 50개를 이용해 햇빛을 선박에 집중시켰더니 곧이어 불이 붙었습니다. 실험에 참여한 과학자들은 아르키메데스가 태양광을 이용해 로마 함선을 불태웠다는 기록이 의심할 여지없는 역사적 사실이라고 발표했죠.

아르키메데스가 역발상과 관련된 영감을 주었다면 질병과 관련된 역발상은 사람의 생각 하나가 인류를 구할 수도 있다는 점에서 동기부여를 해줍니다. 질병과 관련된 인류의 역사를 되돌아보면 위기를 겪다가도 발상의 전환을 통해 극복하는 과정의 반복이었다고 말할 수 있습니다.

18세기에 영국 의사 에드워드 제너Edward Jenner는 당시만 해도 개념조차 없었던 예방 접종이라는 역발상을 통해 천연두를 퇴치했고, 생물학자 알렉산더 플레밍Alexander Fleming 역시 최초의 항생제라는 역발상을 통해 각종 세균성 질환을 치료했습니다.

지금의 코로나19 사태도 과거 전염병이 유행하던 사례와 비슷합니다. 감염 환자가 줄어드는 것 같으면 다시 늘어나고, 바이러스 구조를 파악하면 어느샌가 돌연변이가 등장하는 것을 보면서 당장은 끝이 보이지 않는 터널처럼 느껴지기도 합니다. 하지만 80억 명에 육박하는 인류가 떠올리는 '역발상'이 언젠가는 코로나 바이러스를 이 땅에서 사라지게 하리라는 희망을 가져봅니다.

이 책에는 모두 45편의 역발상 관련 글이 수록되어 있습니다. 독毒으로 질병을 치료하는 약품을 비롯해 버섯의 균사체와 겉껍질을 이용한 인조가죽, 업사이클링 식품인 베지트 채소, 종이로 만든 면도기와 자전거 헬멧, 구멍 뚫린 신발과 양면 김치통, 휘어지고 팽창하는 콘크리트, 그리고 생활을 안락하게 만들어주는 가전제품에 이르기까지 다양한 형태의 역발상 사례들입니다.

그 사례들을 각각 자연이 알려주는, 생활에서 배우는, 실수에서 깨닫는, 기술이 보여주는 역발상의 과학으로 나눈 것은 일상생활의 모든 것이 역발상의 대상이 될 수 있다는 점을 강조하기 위해서입니다. 이스라엘의 녹색혁명을 가져온 물 공급 시스템은 이웃집 수도관에서 물이 새는 것을 알려주려고 하다가 개발됐습니다. 우리가 흔히 쓰는 일회용 반창고는 덜렁대는 아내의 실수 덕분에 만들어졌죠. 이런 예처럼 우리 주변에는 새로운 아이디어를 떠올리게 하는 많은 것이 있습니다.

여러 역발상 사례 중에는 잘 알려진 경우도 있습니다. 또한 시장에서 엄청난 반응을 일으켜 이른바 대박을 터트린 기술을 접할 수도 있고, 신선한 아이디어였지만 별다른 반응을 얻지 못해 사라져버린 제품도 만날 수 있죠. 해당 기술과 제품이 성공했느냐 아니면 실패했느냐를 알려주려고 하는 것이 아닙니다. 여기서 강조하고 싶은 점은 과거에 는 실패했다 하더라도 언젠가 성공할 수도 있다는 가능성, 그리고 과 거에 성공했던 기술이나 제품이 미래에는 전혀 다른 분야에서 활용 될 수 있다는 의외성 등 '역발상'만이 갖고 있는 반전의 묘미입니다. 이 역시 이 책을 읽는 누군가의 역발상을 자극할지도 모릅니다.

　이 많은 역발상 사례들 중 개인적으로 아쉬운 제품은 '양면 김치 통'입니다. 몇 년 전만 하더라도 이 김치통은 가족을 위해 늘 먹음 직스러운 김치를 제공하고 싶어 하는 주부들의 마음을 잘 파악했다 고 언론의 호평을 받았습니다. 그런데 김치냉장고에 들어가는 김치 통이 해당 냉장고 규격에 맞게 필수 용기로 제작되다보니 이제는 시중에서 찾기가 쉽지 않은 것 같습니다. 가끔씩 김치냉장고에서 김치를 꺼내 국물에 잠긴 부분과 그렇지 않은 부분을 국자와 집게로 뒤집어줄 때마다 '양면 김치통이 있었으면 간단했을 텐데'라는 생각을 하게 됩니다.

돌이켜보면 과학을 배우고 과학에 대한 글을 쓴 경험은 제게 대단한 행운이었습니다. 비록 더 깊이 공부해 전문적인 과학자가 되지는 못했지만, 글을 통해서 사람들에게 과학을 보다 쉽게 전달할 수 있다는 것도 충분히 의미 있는 작업이라고 생각합니다. 종종 접해보지 않았던 분야를 제대로 전달하기 위해 어려움을 겪기도 하지만요. 그럼에도 불구하고 이 작업을 계속하고 있는 건 몰랐던 지식을 알게 되었을 때의 희열 때문이라고 할까요? 누구보다 빨리 해외의 최신 과학뉴스를 접하고, 기발한 아이디어를 따끈따끈하게 만날 수 있다는 점은 저 같은 지식노동자만이 누릴 수 있는 특권이라고 할 수 있죠.

이 책은 그런 희열의 결과물이라고 할 수 있습니다. 대부분의 글은 한국과학창의재단이 발행하고 있는 과학기술 전문매체 〈사이언스타임즈〉의 기사들을 정리한 것입니다. 이 자리를 빌어 일반인들을 위한 흥미롭고 특별한 분야의 글을 쓸 수 있도록 기회를 준 과학창의재단과 〈사이언스타임즈〉에 감사의 마음을 전합니다.

어느덧 한 해를 마무리하고 새해를 맞이했습니다. 2020년은 지금껏 겪어보지 못한 초유의 한 해였지만, 새해에는 모든 어려움을 털어버리고 희망과 행복이 가득하기를 기원해 봅니다. 그리고 이 책이 희망과 행복이 가득한 시간을 만드는 데 조금이나마 도움이 되기를 기대해 봅니다.

2021년 1월 서울의 동쪽에서
김 준 래

차례 _ CONTENTS

Part 1

자연이 알려주는
역발상의 과학

모든 예술은 자연의 모방에 불과하다.
루키우스 세네카(Lucius Seneca) _ 정치가 · 철학자

'독'도 잘 쓰면 '약'이 된다

주름개선제 보톡스와 고혈압 치료제 캡토프릴

'독도 잘 쓰면 약이 된다'라는 속담이 있다. 몸에 해로운 물질이라도 쓰는 양을 줄이거나 사용방법을 바꾸면 이로운 물질로 변신할 수 있다는 의미다. 과거에 민간요법으로 많이 사용하던 '봉독蜂毒'이 대표적인 경우다. 봉독은 꿀벌의 산란관에서 나오는 독액이지만 신경통과 류머티즘, 요통 등에 효과가 좋아서 민간요법에 많이 활용되었다.

독을 약처럼 사용하는 대표적 사례로 주름개선 보톡스Botox와 고혈압 치료제 캡토프릴Captopril을 꼽을 수 있다. 두 제품 모두 미생물이나 동물이 가지고 있는 독을 활용해 만든 약품인데, 박테리아가 생성하는 독과 살무사가 내뿜는 독을 인간에게 유용하도록 변신시킨 역발상의 결과물이라고 할 수 있다.

독소로 주름을 없앤다

2019년 국내 제약업계는 한동안 떠들썩했다. 두 제약회사 간에 벌어진 기술침해 사건 때문이었다. 이 사건은 두 회사가 여러 가지 이해관계로 얽히면서 복잡하게 꼬였지만, 핵심은 단 하나였다. 주름개선제의 대명사처럼 알려진 약품, 보톡스 관련 생산기술이 침해를 당했느냐 하는 점이었다.

침해를 당했다는 M사는 보톡스의 주성분을 만드는 균주와 제조기술을 D사가 훔쳐갔다고 주장하는 반면, D사 측은 자신들이 보유한 균주와 제조기술은 M사와 무관하게 독자적으로 개발했다는 입장이다. 최근 미국 국제무역위원회ITC가 균주에 대한 영업비밀 침해 소송에서 D사에 패소 판결을 내리면서 국내 보톡스 시장에 많은 변화가 생길 것으로 예측하고 있다.

이와는 별개로 보톡스와 관련된 흥미로운 사실이 있다. 대부분의 소비자는 보톡스의 주성분이 독소toxin라는 사실을 모르고 있다는 점이다. 1987년 처음으로 주름개선 효과가 발견된 이래 지금까지 전 세계 여성들을 매료시키고 있는 이 약품의 탄생은 사람에게 치

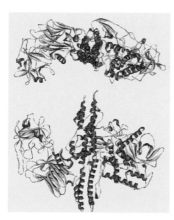

보톡스 주성분인 보툴리눔 톡신 A형의 결정구조

명적인 독소로부터 비롯되었다. 클로스트리디움 보툴리늄Clostridium Botulinum 박테리아가 배출하는 독소인 보툴리늄 톡신Botulinum Toxin이 바로 보톡스의 주성분으로, 보톡스란 이름은 이 독소를 이용해 주름개선제를 개발한 앨러간Allergan 제약회사의 제품명이다.

보툴리늄 톡신이 처음 발견된 것은 19세기 초였다. 당시 독일에서 식중독으로 200여 명 이상이 사망하는 사건이 발생했다. 의사인 유스티누스 케르너Justinus Kerner가 원인을 파악하던 중에 사망자 대부분이 통조림이나 제대로 보관되지 않은 소시지를 먹었다는 사실을 발견했다. 통조림과 소시지를 회수해 분석한 그는 1년 뒤인 1844년에 그 결과를 발표했다. 공식적인 원인은 혐기성嫌氣性 세균, 즉 통조림처럼 공기가 없는 환경을 좋아하는 클로스트리디움 보툴리늄 박테리아가 배출한 독소 때문이었다.

이후 보툴리늄 톡신은 자연에 존재하는 천연독소 중 가장 독성이 강한 것으로 알려져 기피 대상이 되었지만, 그로부터 1세기가 지난 1973년에 극적인 반전을 맞았다. 미국 안과의사 앨런 스콧Allan Scott이 원숭이를 이용한 실험에서 보툴리늄 톡신이 다양한 질병의 치료제가 될 수 있다는 사실을 밝힌 것이다. 스콧의 발견은 미국 의료계에 큰 반향을 불러일으켰다. 의사들은 다양한 임상 적용을 통해 보툴리늄 톡신이 눈꺼풀 경련 증상이나 목 근육이 과도하게 수축되어 목이 한쪽으로 기울어지는 사경 증상, 그리고 소아마비 환자의 근육 강직 증상 등에 치료 효과가 있다는 것을 확인했다.

1987년에는 캐나다의 피부과 의사 알라스테어스 캐러더스Alastairs Carrutthers가 눈꺼풀 경련 환자를 보툴리늄 독신으로 치료하던 중에 경련뿐만 아니라 피부 주름까지 사라지는 현상을 발견했다. 그런데 당시 미국 의료계는 캐러더스가 발견한 주름개선 효과에 별다른 반응을 보이지 않았고, 심지어 이상한 사람 취급까지 했다. 하지만 그런 반응은 오래가지 않았다. 제약회사인 앨러간이 그의 연구결과에 관심을 가지면서 보툴리눔 톡신은 보톡스라는 이름의 제품으로 탄생했고, 그의 명성 또한 오늘날까지 이어지고 있다.

살모사 독이 고혈압을 억제한다

고혈압 치료제인 캡토프릴은 치명적인 살모사의 독을 주성분으로 개발된 약품이다. 현재 전 세계 인구의 15% 정도인 10억 명 이상이 앓고 있는 고혈압은, 매년 700만 명 이상이 이와 연관된 질병으로 목숨을 잃는 난치병이다. 이 병은 다른 질병들과는 달리 국가의 경제수준과도 별로 관련이 없는 특징을 보이고 있다. 가난한 나라는 관리가 제대로 안 되는 까닭에 걸리고, 잘 사는 나라는 지나치게 잘 먹고 잘 살아서 걸리기 때문에 국가별로 별 차이 없이 환자가 증가하고 있다.

살모사 독이 주성분인 캡토프릴의 화학구조식

더욱이 최근 들어 고혈압의 진단과 치료에 기준이 되는 가이드라인이 점점 낮아지고 있는 추세다. 이처럼 질환 적용의 범위는 예전보다 넓어지는 반면에 완치가 어렵다 보니 하루가 다르게 환자가 늘어나 관련 약품 시장도 엄청난 규모를 형성하고 있다. 가장 큰 시장 점유율을 차지하는 고혈압 억제제는 미국 대형 제약회사 브리스톨마이어스스퀴브BMS가 개발한 캡토프릴이다.

캡토프릴은 개발 단계부터 세간의 주목을 받았는데, 주성분이 살모사 독으로 이루어져 있기 때문이었다. 브라질과 아르헨티나 등 남미 대륙에 서식하는 하라라카 살모사는 '한 번 물리면 끝'이라는 별명을 얻을 정도로 남아메리카 사람들에게 공포의 대상이었다. 이 살모사에게 물리면 즉시 혈관이 이완되어 혈압이 급격히 낮아지면서 죽게 된다고 한다.

이 현상을 주목한 BMS는 혈압을 낮추는 성분을 분리해 고혈압 억제제로 활용하겠다고 생각했다. 그리고 다년간의 연구 끝에 살모사 독에서 혈관 수축을 억제하는 성분으로 캡토프릴을 만드는 데 성공했다. 현재 캡토프릴은 전 세계 80여 개국에서 1조 원 이상의 매출을 올리는 이른바 블록버스터 약품으로 인정받고 있다.

• • •

'독도 잘 쓰면 약이 된다'라는 말은 '아무리 좋은 약이라도 많이 먹으면 해롭다'라는 말과도 일맥상통합니다. 건강에 좋다고 지나치게 많이 먹으면 부작용이 생기는 것처럼 나쁜 성분이라고 완벽하게 나쁜 것만은 아니라는 말이죠. 좋은 약은 계속 좋은 성분을 유지하고, 나쁜 성분은 좋은 약이 될 수 있도록 만드는 것이 과학기술의 의무라고 생각합니다.

죽으면 아무것도 남기지 않는다

비상식량이 되는 생존 가이드북과 새가 먹을 수 있는 접시

'호랑이는 죽어서 가죽을 남기고 사람은 죽어서 이름을 남긴다'라는 속담은 호랑이가 귀한 가죽을 남기듯이, 사람은 생전에 쌓은 업적에 따라 명예를 남긴다는 의미다. 하지만 시대가 변하면서 머지않은 미래에는 '사람은 죽어서 이름을 남기는 것이 아니라 아무것도 남기지 않는다'라는 속담이 생길지도 모른다. 물건을 만들더라도 다 사용한 후에 버려질 때를 고려해 아무것도 남기지 않도록 하는 '제로 디자인'이 유행하고 있기 때문이다. 제로 디자인이 적용된 '비상식량이 될 수 있는 생존안내 책자'와 '새의 먹이가 될 수 있는 일회용 접시'는 지속가능한 미래 환경과 한정된 자원 보존을 위해 아무것도 남기지 않는다는 지혜가 반영된 역발상의 결과물이다.

가이드북이 비상식량으로 변신

랜드로버Land Rover는 4륜 구동차를 전문으로 생산하는 영국의 자동차회사로, 4륜 구동차 브랜드 중에서는 지프Jeep에 이어 세계에서 두

번째로 오래된 역사와 전통을 자랑한다. 이 회사가 아랍에미리트에 거주하는 고객을 대상으로 독특한 환경 프로모션을 추진해 눈길을 끈 적이 있다. 위험한 아라비아 사막을 4륜 구동차로 여행하는 고객을 위해 생존 가이드북Survival Guide Book과 명함을 제공하는 캠페인을 진행한 것이다.

총 40쪽 분량으로 제작된 가이드북에는 사막을 여행하다가 위험한 상황을 만났을 때 활용할 수 있는 다양한 생존 전략이 담겨 있다. 즉 길을 잃었을 때 별자리를 이용해 위치를 파악하거나 혹한기 상황에서 체온을 유지하는 방법, 또는 물을 구하는 방법 등이 실제 사례들과 함께 수록되어 있다.

일반적으로 생존 가이드북은 다른 여행 프로그램에서도 제공되기 때문에 별로 특별하지 않다. 그런데도 프로모션이 독특하다고 한 것은 책의 내용이 아니라 재질 때문이다. 전분으로 만든 식용 종이와 인체에 무해한 천연 잉크를 사용해 먹을 수 있도록 가이드북을 만든 것이다. 제작을 맡은 담당자는 "사고로 고립되거나 고장으로 움직이지 못하는 등 운전자가 위험에 처했을 때 가이드북을 비

위험한 상황에서 생존을 위해 먹을 수 있도록 만든
랜드로버의 가이드북

상식량으로 먹을 수 있도록 만든 것"이라고 밝히면서 "최소 한 개의 치즈버거가 갖고 있는 670칼로리의 열량을 내기 때문에 가이드북이 비상식량으로서 역할을 충분히 할 수 있다."라고 말했다.

랜드로버는 예전에도 비슷한 생존전략이 담긴 가이드북을 종이로 만들어 배포한 적이 있었다. 그런데 종이책은 얼마 지나지 않아 폐지 상태로 차 안이나 길거리에 버려지곤 했다. 이 담당자는 "이것은 또 하나의 자원낭비이자 환경오염이었다."라고 지적하면서 "우리 고객에게는 최소한 자원을 낭비하거나 환경을 오염시키는 그 어떤 것도 제공하지 말자는 취지로 이 같은 제로 디자인 관련 프로모션을 진행했다."라고 밝혔다.

랜드로버 측에 따르면 당시 아랍에미리트의 기존 고객 5000명에게 이 가이드북을 배포한 결과 매우 긍정적인 반응을 얻었고 추가 요청까지 받은 것으로 나타났다. 이후 랜드로버는 제휴를 맺은 자동차 매거진의 부록으로 생존전략이 담긴 먹을 수 있는 가이드북을 첨부해 정기적으로 배포하고 있다.

새가 접시까지 먹는다

산과 들로 소풍을 가거나 캠핑할 때 가장 많이 사용하는 것은 무엇일까? 바로 환경오염의 주범으로 여겨지는 일회용 접시다. 다행히 최근에는 종이 접시를 많이 사용하고 있지만, 아직도 합성수지나 은박지 등으로 만든 일회용 접시가 많다.

문제는 합성수지 접시의 경우, 완전히 분해되기까지 100년 이상의 시간이 걸린다는 점이다. 환경보호에 관심이 많은 사람들은 대부분 종이로 만든 일회용 접시를 사용하는데, 이 또한 완전히 분해되기까지는 상당한 시간을 필요로 한다.

평소 환경보존에 각별한 관심을 갖고 있던 미국의 산업디자이너 안드레아 루지에로Andrea Ruggiero와 벤트 브러머Bengt Brummer는 일회용 접시로 인한 환경문제를 심각하게 생각하며 대안을 모색했다. 그들은 사용 후 빠른 시간에 소멸되는 일회용 접시를 만들고자 고민한 끝에 수많은 시행착오를 거쳐 조기에 100% 분해되는 '유에프오UFO 접시'를 개발했다.

접시를 사용한 후에 숲이나 공원 등에서 날렸을 때, 날아가는 모양이 비행접시를 닮아서 UFO라는 이름을 붙였다고 브러머는 말했다. 그는 "감자전분과 식품첨가제인 구아검guar gum만을 사용해 만들었기 때문에 음식물이 썩듯이 한 달 이내에 완전히 분해된다는 것이 장점"이라고 UFO의 특징을 설명했다.

하지만 UFO의 진짜 장점은 따로 있다. 이 접시는 감자전분과 구아검처럼 사람이 먹어도 되는 재료로 만들었기 때문에 접시가 분해

100% 분해되어 새의 먹이가 되는 UFO 접시

되고 나면 동물의 먹이로 활용될 수가 있다. 사용한 후 버려지는 접시 조각들이 새와 다람쥐의 먹이가 되는 것이다. 환경 전문가들은 환경에 무해할 뿐만 아니라 자연과 인간, 동물 모두에게 유익한 이 접시가 진정한 의미의 제로 디자인이라고 평가했다.

* * *

사람은 오래전부터 죽어서 이름을 남기는 것을 명예로 알았습니다. 그렇게 하기 위해 살아 있는 동안 노력하고 절제했죠. 후세에 대대로 이름이 전해지는 것은 분명히 멋진 일입니다. 하지만 모두 그런 인생을 살기는 어렵죠. 반면에 후손들이 어떠한 피해도 입지 않도록 아무것도 남기지 않고 죽는 것은 조금만 노력하면 누구나 할 수 있는 일입니다. 이름을 남기는 것만큼이나 멋지게 인생을 마무리하는 방법, 제로 디자인에 동참해 보실래요?

버섯에서 가죽을 얻는다

버섯의 균사체와 겉껍질을 이용한 인조가죽

사용하려는 물건이 없거나 문제가 있을 때, 그와 비슷한 것으로 대체한다는 의미의 '이가 없으면 잇몸으로'라는 말이 있다. 우리가 사용하는 물건 중에 천연가죽이 '이' 같은 존재가 되었다. 질기면서도 부드러운 질감으로 오랫동안 사람들의 사랑을 받은 소재지만, 비싼 가격과 동물보호라는 사회적 분위기 때문에 천연가죽 사용에 부담을 느낄 수밖에 없다.

그렇다면 천연가죽인 '이'을 대신할 수 있는 '잇몸'으로는 무엇이 있을까. 가죽보다 더 가죽 같지만, 실제로는 가죽이 아닌 역발상적 개념의 소재가 현재 미국과 독일, 이탈리아에서 선을 보이고 있다. 바로 '버섯으로 만든 가죽'이다.

버섯 균사체를 활용해 만든 가죽

그동안 천연가죽을 대체할 수 있는 소재가 전혀 없었던 것은 아니다. 흔히 인조가죽으로 부르는 합성피혁이 대표적이다. 부직포와 폴리우레탄을 이용해 만드는 합성피혁은 저렴하면서도 손쉽게 제작할 수 있다는 장점 때문에 지금도 널리 사용되고 있다. 하지만 장점만큼이나 단점도 많은 소재가 합성피혁이다. 천연가죽보다 표면강도가 강하고 부드럽지 않아서 오래 쓰면 표면이 갈라지거나 깨진다. 또한 거의 통풍이 되지 않아 피부에도 좋지 않다.

소재업계는 천연가죽처럼 질기면서도 부드럽고, 합성피혁처럼 저렴하면서도 가공이 용이한 장점을 두루 갖춘 새로운 소재를 오랫동안 꿈꿔 왔다. 최근 개발된 버섯가죽이 그런 가능성을 가지고 있어 기대를 모으고 있다.

버섯가죽 개발의 선두주자는 미국의 바이오 벤처기업 볼트스레드Bolt Threads다. 캘리포니아대학에서 화학을 전공한 댄 위드마이어Dan Widmaier가 설립한 이 회사는 거미줄에서 착안한 실크제품 마이크로실크micro silk로 유명세를 떨치고 있다. 이 회사에서 개발한 버섯가죽은 마일로Mylo라는 브랜드를 가진 소재다. 누가 설명해주지 않으면 전문가도 버섯으로 만든 것이라고는 도저히 생각할 수 없을 만큼 천연가죽의 질감과 유연함을 그대로 갖고 있다.

만드는 방법을 궁금해 하는 소비자에게 위드마이어는 "옥수수 줄

버섯가죽으로 만든 볼트스레드의 마일로 가방
(www.boltthreads.com)

기를 깔고 그 위에 버섯 균사체를 배양한 다음, 마무리 공정과 염색 공정을 거치면 천연가죽과 같은 질감을 가진 소재로 변한다."라고 밝혔다. "가죽처럼 질긴 물성은 온도와 습도를 정확하게 관리하는 과정에서 나타나는데, 균사체가 얽히고설키면서 복잡하게 꼬일수록 가죽의 강도가 증가하게 된다."라고 덧붙이기도 했다.

균사체mycelia란 백색의 솜털 또는 실오라기처럼 보이는 곰팡이의 몸체를 말한다. 버섯은 곰팡이의 일종이기 때문에 다른 곰팡이들처럼 이런 균사체를 기반으로 자란다. 위드마이어에 따르면 마일로 제조에 사용되는 균사체는 유전자 조작을 하지 않은 천연 그대로의 상태다. 또한 동물로부터 천연가죽을 얻기 위해서는 일정한 크기로 성장해야 가능하지만, 균사체는 몇 주 만에 성장하므로 천연가죽보다 생산 효율도 더 높은 것으로 나타났다.

볼트스레드는 런던의 빅토리아 앨버트 박물관에서 마일로를 소재로 한 가방을 전시하여 소비자로부터 많은 관심을 받았다. 전시가 마무리되자마자 폭발적인 예약이 이어졌고 지금까지 상당한 판매량을 보이고 있다. 위드마이어는 회사가 추구하는 목표는 환경에 부담을 주지 않는 '지속가능한 패션sustainable fashion의 실현'이라고 강

버섯의 갓 부분에서
벗겨낸 겉껍질을 이용해 만든 머스킨

조하며, 동물을 죽이지 않고도 가죽처럼 뛰어난 소재를 만들 수 있다는 것을 보여주겠다고 밝혔다.

균사체를 이용해 버섯가죽을 만드는 기업은 독일에도 있다. 뮌헨 소재의 신발제조업체 넷투Nat-2와 액세서리 제조업체 츠벤더Zvnder가 공동으로 개발한 버섯가죽은 현재 친환경 스니커즈 제작에 활용되고 있다. 친환경이란 표현을 쓰는 이유는 스니커즈를 제작하는 데 있어 버섯가죽 외에 버려진 PET병을 재활용하기 때문이다. 버섯가죽은 스니커즈 외피에만 적용되고, 버려진 PET병과 코르크, 고무 등을 재활용하여 바닥과 안창을 만드는 것이다.

츠벤더의 창립자이자 수석 디자이너인 니나 파버트Nina Fabert는 "말굽버섯Fomes Fomentarius을 키워 버섯가죽을 만든다."라고 소개하며 "버섯에서 채취한 균사체를 1년 정도 모아 수작업으로 만드는 버섯가죽은 소가죽처럼 질기고 내구성이 강해 스니커즈 개발에 최적의 소재가 된다."라고 밝혔다.

동물성 가죽 못지않은 식물성 가죽

이탈리아 원단업체 ZGE가 개발한 버섯가죽은 버섯의 갓 부분에서 벗겨낸 겉껍질을 이용해 만들었다. 버섯mushroom과 피부skin의 철자를 조합하여 만든 '머스킨Muskin'은 이 버섯가죽의 브랜드다. 소비자로부터 천연가죽과 가장 유사한 질감을 갖고 있다는 찬사를 받을 정도로 머스킨의 감촉은 천연가죽과 흡사하다.

ZGE는 "중국이 원산지인 거인버섯giant mushroom의 갓 부분에서 겉껍질을 추출한 후에 가공하면 코르크 같은 색을 내는 버섯가죽이 탄생한다."며 "특히 표면 감촉이 스웨이드suede 가죽 같다는 평가를 많이 받는다."고 홍보하고 있다. 스웨이드 가죽은 마무리 공정 시 가죽 표면을 긁어 보풀이 일게 함으로써 벨벳처럼 부드러운 감촉을 가지고 있다. 머스킨은 자연 방수기능을 갖고 있어서 방수화 같은 신발을 만드는 데도 활용하고 있다.

ZGE는 머스킨이 통기성이 뛰어나고 화학물질과는 전혀 관련이 없기 때문에 완전 무독성인 천연소재라며 신발은 물론 모자나 시곗줄처럼 피부에 직접 닿는 패션제품에 사용하면 가장 이상적이라고 강조했다.

. . .

천연가죽을 대체할 수 있는 제품이 다양하게 나오고 있다는 점은 환영할 만한 일입니다. 아무리 버섯가죽이 좋아도 천연가죽만 하겠느냐는 부정적인 시선도 있지만 동물의 생명을 빼앗아야만 만들 수 있는 것이 천연가죽인 만큼, 과학을 통해 인공적인 가죽을 만드는 기술은 칭찬을 받아야 할 만큼 바람직한 일이 아닐까요?

자연에 도전하지 말고 굴복하자

문명이 발달하다보니 가끔 과학의 힘을 맹신해 상황을 잘못 판단할 때가 있다. 예를 들면, 재난이나 재해가 발생했을 때 무리한 대책을 세우다 더 큰 화를 불러오는 경우다. 아무리 문명이 발전했어도 거대한 자연의 위력 앞에서 인간은 무기력하다. 때문에 자연에 맞서야 할 때와 순응할 때를 구별하는 능력이 있어야 피해를 최소화할 수 있다. 그런 능력이야말로 진정한 과학기술의 힘이라고 할 수 있을 것이다.

자연재해에 맞서지 않고 순응하는 것이 이롭다고 판단한 역발상 사례로 '해수면 상승에 따른 수륙양용 주택 건설'과 '태풍 완충지대 조성'을 들 수 있다.

해수면 상승에 대응한 수륙양용 주택

네덜란드는 국토의 25%가 해수면보다 낮다. 이 지역에 인구의 절반이 몰려 있기 때문에 예로부터 네덜란드는 해수면과 밀접한 관계에 있는 제방과 운하 관리에 많은 공을 들였다. 그러나 지구온난화로 해수면 상승 속도가 점점 빨라지면서 상황은 더 힘들어지고 있다. 네덜란드에서 해수면 상승에 적응할 수 있는 생활방식으로 제시되고 있는 해법이 바로 '수륙양용' 주택이다.

암스테르담 외곽으로 나가면 수백여 채의 집이 자리한 조그만 마을이 있다. 멀리서 보면 다른 마을과 다를 바 없지만, 가까이 다가갈수록 일반적인 마을과는 다른 풍경이 펼쳐진다. 집 앞에는 자동차 대신 보트가 정박해 있고, 집 사이사이에는 골목길 대신 다리가 놓여 있다. 에이뷔르흐Ijburg는 네덜란드의 유명한 수상마을 중 하나다.

수상가옥이라고 해서 이탈리아 베네치아나 동남아시아에 있는 고정된 수상가옥을 생각하면 오산이다. 에이뷔르흐의 주택은 대부분 물에 뜨는 거대한 콘크리트 구조물 위에 지어져 있어 물이 차면 집이 수면 위로 뜨는 '부유식' 건물이다. 평소에는 수면 아래 땅에 고정되어 있지만, 폭우나 수문 개방 등으로 수위가 높아지면 물이 콘크리트 구조물을 수직으로 들어올리면서 뜨게 되는 것이다. 최대 2미터 높이까지 뜨는 주택에서 수도와 전기 같은 모든 시설을 그대

네덜란드 워터스튜디오가 만든
물 위에 뜨는 주택(www.waterstudio.nl)

로 사용할 수 있다는 것이 장점이다.

이 수륙양용 주택을 개발한 네덜란드의 워터스튜디오Waterstudio는 '물 위에 뜨는 아파트' 단지 건설까지 계획하고 있어 전 세계 건설업계의 주목을 끌고 있다. 개발사 측은 이 아파트 단지를 항공모함처럼 물에 뜨는 거대한 플랫폼에 3층 높이로 지을 예정이라고 밝혔다.

아무것도 하지 않는 것이 자연재해 대응책

네덜란드의 에이뷔르흐 마을이 홍수에 대비한 부유식 주택으로 자연에 순응하고 있다면, 뉴욕 주는 태풍에 순응하기 위해 '무(無)개발' 정책을 추진하고 있다.

2012년 뉴욕 주 연안 지역은 슈퍼 태풍 샌디Sandy로 큰 피해를 입었다. 2013년에도 또 다른 태풍으로 상습 침수지역의 피해가 예상되자, 주지사 앤드류 쿠오모Andrew Cuomo가 역발상 대응책을 제시해 시민들을 당황하게 만들었다. 그동안은 각종 개발을 통해 태풍을 대비했지만, 앞으로는 아무것도 개발하지 않는 정책으로 태풍에 '순응'

쿠오모 뉴욕 주지사는 '허리케인에 땅을 내주자'라는 슬로건으로 무개발정책을 밝혔다.

하겠다고 밝힌 것이다.

물론 무개발이라고 해서 말 그대로 아무것도 하지 않겠다는 뜻은 아니다. 주지사의 무개발 정책은 태풍이 상륙하는 지역을 자연 그대로 되돌려서 개발에 따른 피해를 최소화하겠다는 의미다. 이를 위해 해안가 상습 침수지역의 주택들을 주 예산으로 구매하는 방안이 주 의회에 상정됐다. 이 주택들을 모두 허문 후 습지와 모래언덕, 조류 보호구역 등을 조성해 일종의 태풍 완충지대로 만들겠다는 것이 대 책의 주요 내용이었다.

쿠오모 주지사는 '허리케인에 땅을 내주자'라는 자극적인 슬로건을 내세우면서 "지구상의 많은 지역은 분명 대자연의 소유인 만큼, 자연이 차지하고 싶어 하는 땅을 자연 그대로 되돌려주자는 의미다."라고 설명했다. 그는 "만약 인간이 욕심을 내서 땅을 내주지 않으려 한다면, 어느 순간 태풍을 포함한 수많은 자연재해들로부터 당신이 이곳에 살기를 원하지 않는다는 경고를 받을 날이 올 것"이라고 대응책의 당위성을 주장했다.

처음에 시민들은 이 파격적인 대책을 받아들이기 어려웠다. 하지만 전문가들이 방재대책의 역사에서 가장 획기적인 아이디어라고 평가하자 드디어 동조하기 시작했다. 기후변화로 인한 피해의 대부분이 개발 때문에 발생하는 만큼, 개발을 중단해 대자연의 섭리에 순응하는 것이 대응책일 수 있다는 생각에 주민이 공감한 것이다. 실제로 상습 침수지역의 165가구 중 133가구는 주정부의 매입 제안에 응하겠다는 뜻을 밝히기도 했다.

하지만 이 지역에서 3대 이상 거주해온 적지 않은 토박이로 인해

이 담대한 정책은 현실화되지 못했다. 이들이 보험료 인상 등을 감수하더라도 이 지역을 떠나지 않겠다고 버텼기 때문이다. 결국 '무개발' 정책은 진행형으로 남았지만, 뉴욕 주의 이러한 정책은 자연재해에 대응하기보다는 순응하는 것이 장기적인 관점에서 더 효율적인 방법일 수도 있음을 보여준다.

• • •

도전은 인류가 발전하는 데 가장 큰 원동력이었습니다. 역경을 딛고 이겨내는 도전정신이 없었다면 아마도 지구는 원시 상태에 머물렀겠죠. 하지만 능력을 과신해 무모하게 도전하는 것은 안 됩니다. '적을 알고 나를 알면 백전백승'이라는 격언처럼 때로는 자연의 힘 앞에 순응해야 나중에 도전할 기회도 생깁니다. 과학을 알고 자연을 알면 이기지는 못하더라도 최소한 패하는 것은 피할 수 있지 않을까요?

2년이면 강산이 변한다

점적관수 기술과 역삼투 해수담수화 기술

'뽕나무밭이 푸른 바다가 되었다'라는 뜻의 '상전벽해桑田碧海'라는 사자성어가 있다. 도심이나 산천이 옛 모습을 도저히 찾아볼 수 없을 정도로 변했을 때 이 말을 사용하기도 한다. 그런데 그 정도로 변하려면 얼마나 오랜 시간이 걸려야 할까? 옛사람들은 '십 년이면 강산도 변한다'고들 했다. 하지만 여기에 역발상의 과학기술을 적용하면 짧은 시간에 황무지를 옥토로 만들 수도 있다. 자연적으로 수십 년이 걸리는 사막의 녹지화를 불과 2~3년 만에 해낼 수 있는 점적관수drip irrigation 기술과 역삼투 해수담수화reverse osmosis seawater desalination 기술이다.

녹색혁명을 일으킨 물방울

작지만 강한 나라 이스라엘의 재건 신화 뒤에는 키부츠kibbutz라는 집단농장이 있다. 집단농장이라고 하지만 키부츠는 단순히 여러 사람이 모여 농사를 짓는 곳이 아니다. 끊임없는 연구개발과 현장 테스트를 통해 새로운 품종을 만들어내고 토지를 개량하는 일종의 농업연구소 같은 곳이다.

이 같은 키부츠가 1965년 브엘세바 근처에 네타핌Netafim이라는 이름의 농업법인을 설립했다. 히브리어로 '물방울'이란 의미를 가진 이 법인은 '점적관수'라는 기술을 통해 단시간에 황무지를 옥토로 바꾸면서 세계적인 주목을 끌었다. 점적관수란 구멍이 뚫린 지름 20밀리미터 내외 관을 땅 속에 묻고 물방울이 조금씩 나오도록 조절해 작물에 스며들도록 하는 방식이다. 원하는 장소에만 제한적으로 소량의 물을 지속적으로 공급하는 이 방식은 물을 적게 쓰면서도 효율적으로 작물을 키울 수 있다.

이스라엘의 연간 강수량은 우리나라 절반 수준밖에 미치지 못한다. 지중해성 기후로 겨울에 3개월가량만 비가 오기 때문에 물을 인공적으로 공급해주지 않으면 농작물이 자랄 수 없는 지역이다. 점적관수 기술은 이처럼 불리한 환경을 극복하기 위해 한 방울의 물까지 모두 이용한다는 발상에서 비롯됐다.

이스라엘 수자원공사 엔지니어였던 심카 블라스Simca Blass는 수도

네타핌의 점적관수 시스템은
이스라엘의 녹색혁명을 일으켰다.

관이 조금씩 새는 것을 알려주려고 이웃집을 방문했다가 물을 주지 않아도 잘 자라고 있는 마당의 나무들을 봤다. 이 사실에 흥미를 느낀 그는 조금씩 흐른 물이 땅속으로 넓게 퍼지면서 주변 나무들에 수분을 공급한다는 사실을 알 수 있었다. 우연한 일이었지만 블라스는 이를 그냥 흘려보내지 않고 연구를 거듭한 끝에 지금의 네타핌을 만든 독창적인 물 공급 시스템을 완성했다. 전통적인 물 공급 시스템의 효율은 40~60%이고 스프링클러 방식은 70~85% 정도지만, 점적관수 방식의 효율은 90~95%이다. 이스라엘은 이 기술로 녹색혁명green revolution을 이뤄냈다.

식수와 생활용수로 대량공급하는 바닷물

점적관수 기술이 황무지 곳곳을 옥토로 바꾼 것은 분명하지만, 물 자체의 절대량이 모자라는 점은 이스라엘의 근본적인 고민거리였다. 이

바닷물을 용수로 사용할 수 있도록 하는
해수담수화 시설 내부

스라엘 건국 직후인 1950년대만 해도 용수의 주요 공급원이 요르단 강뿐이었기 때문이다. 그러나 1960년대부터 시작된 해수담수화 시스템으로 이스라엘의 전 국토는 새로운 전기를 맞이하게 된다.

해수담수화海水淡水化란 생활용수나 공업용수로 직접 사용하기 힘든 바닷물에서 염분을 포함한 용해물질을 제거하여 순도 높은 음용수와 생활용수 등을 얻어내는 일련의 수처리 과정을 의미한다. 이스라엘은 1990년대부터 본격적인 공사를 시작해 2011년에는 연간 3억2000만 톤의 바닷물을 담수화했고, 3년 뒤인 2014년에는 연간 7억5000만 톤의 용수를 해수담수로 공급할 수 있게 됐다. 이는 요르단 강에서 공급하는 양의 세 배에 달하는 규모로, 이스라엘의 연간 생활용수 수요량인 7억6400만 톤을 거의 부담할 수 있는 엄청난 양이다.

이스라엘이 이렇게 물량을 확보할 수 있었던 것은 역삼투 방식의 해수담수화 기술 덕분이었다. 역삼투 방식이란 삼투압 현상을 활용해 담수를 생산하는 기술을 의미하고, 삼투압 현상이란 분리막을 사이에 두고 물이 저농도에서 고농도로 이동하는 현상을 말하는 것으로 이때 나타나는 차이를 삼투압이라고 한다. 삼투압 현상으로 수위가 높아진 쪽에 삼투압 이상의 압력을 가하면 물은 고농도에서 저농도로 이동하는데, 이동방향이 삼투현상의 반대이므로 '역삼투'라고 부르는 것이다. 1950년대 말에 역삼투 방식의 해수담수화 기술이 개발된 뒤 현재까지 세계시장에서 역삼투법이 60% 이상을 점유하고 있다.

상용화에 성공한 이후부터 역삼투막에 대한 연구를 계속하여

염_鹽을 분리하는 성능과 담수 생산량까지 크게 향상되었고, 여기에 에너지 회수기술이 접목되면서 현재는 증발식보다 우수한 경제성을 확보하고 있다.

* * *

'10년이면 강산도 변한다'라는 속담은 10년이라는 세월이 얼마나 긴 시간인지를 말하고 있습니다. 인위적인 변화가 아니더라도 10년 정도면 많은 것이 자연적으로 변화한다는 것을 강조하는 말이죠. 하지만 과학기술이 발전하면서 변화의 시간이 점점 줄어들고 있습니다. 아마 수십 년 후에는 '한 달이면 강산도 변한다'라는 속담이 생기지 않을까요?

식물과 동물이 첨단기술의 모델

연잎 방수효과 활용 메모리 소자와 물총새 부리 모방한 신칸센

'잡초에게도 배울 점이 있다'라는 말은 하찮아 보이는 것에서도 유익한 장점을 찾을 수 있다는 의미다. 청색기술blue technology은 바로 이런 시각에서 비롯됐는데, 이는 수십억 년 동안 시행착오와 선택이라는 진화 과정을 거친 자연에서 영감을 얻거나 모방하는 기술이다. 첨단과학에도 자연으로부터 배운 기술이 존재하는 것이다. 연잎의 방수효과를 활용한 메모리 소자와 물총새 부리를 모방한 신칸센 열차가 청색기술을 이용한 사례다.

연잎효과를 모방한 메모리 소자

비가 내리면 어린 시절을 시골에서 보낸 사람들은 연잎에 대한 추억을 떠올리곤 한다. 우산조차 귀했던 그 시절에 커다란 연잎은 훌륭한 우산이 되어주었다. 연잎은 아무리 빗발이 거세도 빗방울을 튕겨냈고, 잎에 고인 빗물은 그대로 흘려버리는 용한 재주를 갖고 있었다.

이처럼 연잎이 물에 젖지 않고 그대로 튕겨내는 현상을 '연잎효과lotus effect'라고 한다. 이런 현상은 연잎에 무수히 나있는 미세한 돌기와 연잎 표면을 코팅하고 있는 일종의 왁스 성분 때문에 일어난다. 연잎 표면은 얼핏 기름종이처럼 매끈하다고 느껴지지만, 현미경으로 보면 아주 미세한 돌기로 이뤄져 있다. 이 돌기에 물을 떨어뜨리면 퍼지지 않고 방울 형태로 맺히는데, 이는 액체가 최소의 표면적을 유지하기 위해 스스로 수축하는 힘인 '표면장력'이 작용하기 때문이다.

과학자들은 오래전부터 이 같은 연잎효과를 응용해 실생활에서도 사용할 수 있는 제품을 개발해 왔다. 벽에 빗물이 스며들지 않도록 하는 방수페인트나 비가 와도 자동차 유리에서 퍼지지 않는 코팅제 등이 좋은 예다. 뿐만 아니라 선박의 바닥에 이 기술을 적용하면 물과의 마찰을 줄일 수 있어서 에너지를 획기적으로 절감할 수 있고, 수도계량기 등에 활용하면 물이 표면에 달라붙지 않아서 어는 것을 막는 효과도 있다.

연잎효과는 물에 취약한 반도체 메모리 소자의 방수처리에도 활용되고 있다. 포스텍 연구진이 개발한 이 메모리 소자는 기존의 메

메모리 소자 개발에 활용된 연잎의 방수효과

모리 소자에 연잎의 방수 특성을 적용해 주위에 수분이 존재해도 안정적으로 소자가 작동되도록 한 것이 특징이다. 기존의 전자제품에 적용된 방수기술은 전체를 코팅하는 방식이지만, 포스텍은 연잎을 모방하여 메모리 소자에 미세한 나노 돌기를 형성하고 그 위를 화학물질로 코팅하는 방식을 채택했다.

물총새 부리 모양의 신칸센

연잎이 방수기능 메모리 소자를 만드는 데 도움을 줬다면, 물총새는 일본이 자랑하는 신칸센 열차의 디자인에 영감을 제공한 주인공이다.

일본의 고속열차 신칸센은 시리즈마다 디자인과 설계 방식이 조금씩 다르다. 1996년에 나온 500시리즈는 여러 모델 중에서도 가장 빠른 속도를 자랑하며 지금도 고객의 사랑을 받고 있다. 신칸센 500

물총새 부리를 모방한 신칸센 500시리즈
(663highland)

시리즈가 사랑을 받고 있는 이유는 단지 빠르기 때문만이 아니다. 이 열차는 일반적인 유선형 모양이 아니라 새의 부리처럼 길쭉하게 튀어나온 앞부분 때문에 사람들로부터 더 많은 관심과 주목을 받고 있다.

일본의 JR사는 고속열차의 앞부분을 왜 이렇게 독특한 모양으로 만든 것일까? 그에 대한 해답은 500시리즈 초기 모델의 심각한 문제였던 엄청난 소음과 관련이 있다. 시운전 당시 열차는 소음이 너무 심해 운행 자체가 불가능할 정도였다. 열차가 좁은 터널에 빠른 속도로 진입하면 터널 내 공기가 갑작스럽게 압축되면서 압력이 높아진다. 터널에 깊이 들어갈수록 압축은 점점 심해져 음속에 가까운 압력파가 발생하고, 이 파동이 출구를 통해 빠져나가면서 강력한 저주파 파장을 발생시켜 엄청난 굉음이 생기는 것이다.

이 때문에 500시리즈 초기 모델이 오고가는 터널 주변은 인근 주민으로부터 민원이 끊이지 않았다. 문제해결을 고심하던 엔지니어들이 수많은 견본을 검토하던 중 물총새 부리로부터 영감을 얻었다. 물총새는 하늘을 날다가 물고기를 발견하면 빠르게 다이빙해 사냥을 한다. 저항이 약한 매질媒質인 공기에서 강한 매질인 물로 진입하는데도 물이 거의 튀지 않는다. 먹잇감인 물고기는 포식자가 다가오는 것을 눈치 챌 겨를도 없이 사냥을 당하고 만다.

물총새의 이런 사냥 비법은 바로 길쭉한 부리와 날렵한 머리다. 그 덕분에 날개를 접고 다이빙할 때의 물총새는 앞쪽이 가늘고 길게 튀어나온 탄환 모양으로 변신해 수면에 진입할 때 파동을 최소화할 수 있다. JR사 엔지니어들은 물총새 부리와 머리 모양을 바탕으로 열차를 다시 디자인해 오늘에 이르고 있다.

• • •

과학을 공부하다 보면 생명체에 숨어 있는 신비를 보며 감탄할 때가 한 두 번이 아닙니다. 하다못해 박테리아나 바이러스도 나름의 생존 전략을 가지고 살아가는 것을 보면 경외감마저 듭니다. 이런 생명의 신비를 접하면서 뭔가를 배울 수 있다는 점이 과학기술을 공부하는 매력 중 하나가 아닐까요?

불안한 먹거리, 인공적으로 만들어 먹는다

닭 없는 달걀과 젖소 없는 우유

'목마른 사람이 우물 판다'라는 속담이 있다. 어떤 일에 더 절실한 사람이 그 일을 시작하게 된다는 의미다. 실제 이런 사례들을 주위에서 접할 수 있는데, 개인적인 관심이나 필요에 의해 만들어진 제품과 서비스가 의외로 사람들에게 유익함을 안겨준다. 항생제 사용에 따른 안전성 문제나 배설물 때문에 생기는 환경 문제 등을 고민하던 개인의 희망사항이 안전하고 유용한 신개념 먹거리를 탄생시킨 것도 그렇다. 닭 없이 만드는 달걀이나 젖소 없이 만드는 우유 같은 먹거리가 그런 결과물이다.

식물성 단백질로 만든 달걀

미국의 조시 테트릭Josh Tetrick은 환경과 위생 같은 사회적 문제에 많은 관심을 가진 청년이었다. 특히 전염병 같은 안전 문제나 오염을 양산하는 환경 문제 때문에 양계와 양돈 산업에 관심이 높았다. 그가 먹거리에 대해 관심을 가진 이유는 사람의 식생활에 없어서는 안 되는 식품인 달걀이 배설물로 뒤범벅된 비좁고 지저분한 양계장에서 생산되는 것을 보고 충격을 받았기 때문이다.

진짜 심각한 문제는 지저분한 생육 환경만이 아니다. 닭 사료에는 항생제와 성장촉진제 등이 들어 있는데, 이 성분들은 달걀에 그대로 전해져 먹는 사람의 건강을 위협한다. 조시 테트릭은 이런 문제를 줄이면서 사람들이 필요로 하는 단백질을 얻을 방법을 찾기 시작했다. 그 결과 일부 식물에서 달걀의 단백질과 유사한 성분을 발견했다.

테트릭은 햄튼크릭푸드Hampton Creek Food라는 식품제조 관련 스타트업을 설립하고 본격적으로 단백질 탐색에 나섰다. 2년 동안 동료와 함께 전 세계 수천 여 종에 이르는 식물들의 단백질을 추출하여 분석한 결과 달걀을 대체할 수 있는 식물성 단백질을 찾아냈다. 그리고 많은 시행착오 끝에 실제 달걀보다 영양이 풍부하면서도 콜레스테롤이 없는 식물성 인조 달걀을 만드는 데 성공했다. 알레르기 염려도 없고 심지어 맛있기까지 한 이 인조달걀의 이름은 '비욘드에그Beyond Egg'다.

비욘드에그는 파우더 형태의 식품으로, 기존 달걀보다 저렴한 반

비욘드에그로 만든 식물성 마요네즈 저스트 마요

면에 영양학적 가치는 더 높다. 물론 달걀처럼 요리도 가능하다. 이 제품이 공개되자 달걀 알레르기가 있거나 채식주의자, 고혈압 환자 등 평소 달걀을 먹을 수 없었던 사람들이 찬사를 보냈다. 그중에는 MS의 빌 게이츠와 구글의 세르게이 브린, 그리고 영국 전 총리 토니 블레어 같은 세계적 인물들도 포함되어 있다. 그들은 단지 비욘드에그를 즐기는 선에서 머무르지 않고 이 회사의 가능성에 주목하면서 투자에도 앞장서고 있다.

비욘드에그의 또 다른 장점은 마요네즈나 쿠키처럼 달걀을 이용해 제조하는 가공식품도 만들 수 있다는 것이다. 실제로 햄튼크릭 푸드는 비욘드에그로 식물성 마요네즈인 저스트 마요Just Mayo와 식물성 과자 저스트 쿠키Just Cookies 등을 선보여 호평을 받았다.

실험실에서 만들어지는 우유

퍼펙트데이Perfect Day는 젖소 없이 우유를 만드는 스타트업이다. 공동 창업자 라이언 판드야Ryan Pandya와 페르말 간디Perumal Gandhi는 모두 대학에서 생명공학을 전공했다. 이들이 인공적으로 우유를 만드

인공적으로 만든 우유가
자연산 우유를 대체하고 있다.

는 방법에 관심을 갖게 된 것은 육류와 유제품 소비가 기후변화의 주요 요인이라는 점을 알고부터다. 가축이 내뿜는 트림과 방귀 등의 가스는 전 세계 온실가스 배출량의 15% 정도에 이른다. 그들은 기후변화를 억제하려면 인류가 고기와 달걀, 우유 등의 소비를 줄여야 한다는 점을 깨달았다. 하지만 육류와 유가공 분야 소비가 매년 증가하는 상황에서 이는 너무나 어려운 일이었다.

판드야와 간디는 인공적으로 우유를 만드는 방법을 떠올렸고, 많은 시행착오 끝에 우유의 모든 성분이 함유된 합성우유를 만들었다. 그들은 원래 우유와 맛과 성분이 동일한 우유를 만들기 위해 다양한 시도를 계속했다. 핵심은 효모세포를 통해 우유 단백질을 생산할 방법을 찾는 것이었다.

먼저 젖소의 DNA를 효모세포에서 배양하여 우유 단백질을 얻었다. 다시 말해 효모 균주에 DNA 염기서열을 주입하여 우유 단백질을 합성하는 데 성공한 것이다. 여기에 우유 같은 향이 나도록 식물성 유분을 추가해 진짜 우유와 가장 비슷한 풍미를 내는 합성우유를 만들어냈다.

인공 모유(母乳) 개발
싱가포르의 생명공학 스타트업 기업 터틀트리랩스(TurtleTree Labs)와 미국의 바이오밀크(BioMilq)가 인간 세포를 이용하여 모유를 생산하는 기술을 개발하고 있다. 젖소의 줄기세포로 인공우유를 생산하는 데 성공한 터틀트리랩스는 기증자의 모유에서 채취한 줄기세포로 인공 모유를 생산하는 실험을 하고 있다. 이와 달리 바이오밀크는 인간의 줄기세포가 아니라 유선 상피세포를 복제해서 인공 모유를 생산한다.

퍼펙트데이에 따르면 인공우유는 젖소에서 짜는 우유에 비해 환경에 부담을 덜 주는 것으로 나타났다. 진짜 우유에 비해 에너지 소비와 온실가스 배출량이 각각 65%와 84% 정도고, 물 사용량은 무려 98%나 줄였다. 제품 출시를 시작한 판드야는 진짜 우유를 모방한 인공우유라는 개념에 만족하지 않고 치즈와 버터, 아이스크림 등 다양한 제품 라인을 구축해 본격적으로 유가공 사업을 추진할 계획이라고 밝혔다.

이이제이로 유해 미생물을 퇴치한다

적조의 적은 적조, 곰팡이를 제거하는 곰팡이

오랑캐로 오랑캐를 무찌른다는 뜻의 이이제이以夷制夷는 한 세력을 이용해 다른 세력을 제압할 때 사용하는 사자성어다. 자신은 힘을 들이지 않고 다른 세력을 통해 적을 제거하는 전략인데, 과학기술에서는 흔히 이용된다. '적조를 물리치는 적조'와 '곰팡이 독소를 제거하는 곰팡이'는 사람의 힘을 하나도 쓰지 않고 또 다른 적조와 곰팡이로 대적하게 하는 이이제이 사례다.

조류로 조류를 억제한다

적조는 연안의 해수가 부영양화되면서 먹잇감이 풍부해진 유해성 적조 생물들이 폭발적으로 번식하며 발생하는 현상이다. 이때 유해 생물들이 발산하는 붉은 색소와 생리적 상태로 바닷물이 붉게 보이기 때문에 '적조赤潮'라는 이름이 붙었다.

적조주의보가 발령되면 일반적으로 바다에 황토를 뿌린다. 황토가 조류 증식을 막는 데 일정 부분 효과를 발휘하기 때문이다. 하지만 이 같은 방법은 대중요법에 불과하다. 강한 햇볕과 24도 이상의 수온이 유지될 경우 적조는 걷잡을 수 없다. 적조가 발생한 바다는 어패류의 무덤이 된다. 적조를 유발하는 조류가 어패류의 아가미를 막아 질식시켜버리기 때문이다. 그렇다고 모든 조류가 다 어패류를 죽이는 것은 아니다.

적조의 원인이 되는 생물은 크게 '무해 조류'와 '유해 조류'로 구분된다. 무해 조류에는 규조류와 남조류 등이 있는데, 이들은 순수한 식물성 플랑크톤으로 어패류의 먹이가 되는 유익한 조류다. 반면에 문제가 되는 유해 조류로는 편모류가 대표적이다. 그중에서도 와편모류에 속하는 코클로디니움cochlodinium은 독소를 가지고 있어서 어패류에 가장 심각한 피해를 끼친다.

적을 이기려면 적을 알아야 되듯이 적조를 퇴치하려면 적조를 일으키는 생물에 대해 알아야 한다. 지금까지 밝혀진 유해 조류의 정체는 알면 알수록 놀라움 그 자체다. 예를 들어 적조 유발 조류 중에서도 가장 대표적인 와편모류는 염색체수가 인간보다 다섯 배 이상 많은 250개이고, DNA 염기수도 2900억 개로 30억 개인 인간보다 100배가량 더 많다. 전문가들은 와편모류가 이처럼 엄청난 유전정보를 바탕으로 다양하게 분화됐고, 그 결과 어떤 환경에서도 살아남는 '불사조'가 됐다고 설명한다. '불사조' 같은 와편모류의 폐해를 막기 위해서는 인간도 역발상의 방법으로 맞서야 할 필요가 있다.

적조 퇴치를 위한 역발상의 선두주자는 서울대학교 지구환경과학부 정해진 교수와 그 연구진이다. 정 교수가 주장하는 적조 퇴치법이 한마디로 이이제이다. 그에 따르면 적조를 유발하는 조류 중

와편모류는 독성 물질을 뿜고 아가미에 달라붙어 물고기를 폐사시키는 등 각종 피해를 일으키지만, 규조류의 경우는 무해하며 물고기 먹이도 될 수 있어 증식해도 문제가 없는 것으로 나타났다. 따라서 무해 조류를 인위적으로 증식해 유해 조류를 억제하면 피해를 막을 수 있다는 것이다.

더욱이 와편모류는 하루에 1~2회 정도 분열하는 데 비해 규조류는 1~4회 정도 분열하는 등 증식속도가 더 빨라 와편모류의 증식을 방해할 수 있다. 인위적으로 규조류가 증식할 수 있는 환경을 제공한다면, 양식장 어류가 대량으로 폐사하는 사태는 막을 수 있다는 것이 연구진의 입장이다.

곰팡이의 천적은 곰팡이

곰팡이가 만드는 독소를 억제하는 방법에도 이이제이 바람이 불고 있다. 농촌진흥청은 2019년 미국 위스콘신대학과 공동연구를 통해 메주에서 특정 곰팡이가 분비하는 유해 독소를 강하게 억제하는 토종 곰팡이를 분리했다.

아플라톡신 생성을 억제하는 토종황국균
KACC 93295(농촌진흥청)

특정 곰팡이가 분비하는 독소 중 가장 대표적인 물질로는 아플라톡신Aflatoxin이 있다. 보리와 밀, 옥수수, 콩 등 다양한 곡물에서 주로 자라는 아스페르길루스 플라부스Aspergillus Flavus라는 곰팡이가 만들어내는 독소다. 다량의 아플라톡신을 짧은 기간 내에 섭취하면 급성 아플라톡신 중독증에 걸리는데, 해당 독소에 대한 저항성을 갖고 있는 생명체는 아직까지 없는 것으로 알려져 있다.

아플라톡신의 대표적 피해 사례는 1960년 영국에서 곰팡이에 오염된 땅콩을 먹은 칠면조 10만 마리가 폐사되면서 수억 원의 손실이 발생한 사건이다. 당시만 해도 원인을 제대로 알지 못해 칠면조에서 발생한 원인불명의 질병이라는 의미로 'Turkey X-disease'라 불렀다. 1962년 땅콩에 핀 곰팡이를 대상으로 집중 조사가 진행되었고, 곰팡이에서 원인물질인 독소를 분리해 아플라톡신이라고 명명했다.

의료계는 강한 독성 때문에 아플라톡신에 노출되면 암 같은 질병의 발생 가능성이 매우 높다고 본다. 특히 어린 시절에 노출되면 성장장애나 발달지연 같은 문제까지 생길 수 있다. 특정 곰팡이에 오염된 곡물을 제대로 처리하지 않으면, 아플라톡신은 사람이 먹는 식품뿐만 아니라 축산용 사료에서도 발견될 수 있다. 결국 아플라톡신에 오염된 사료를 닭이 섭취하면 닭고기나 계란 등에서 해당 독소가 검출될 가능성이 높아진다. 미국식품의약청FDA에 따르면 사람이 먹는 곡물이나 가공식품의 아플라톡신 허용한계는 20ppb이다. 반면 우리나라 식약청은 10ppb인데, ppb는 100톤 중에 1그램 정도의 성분이 들어 있는 것을 의미한다.

아플라톡신 독소를 억제하는 농진청 연구진의 이이제이 전략은 독소를 생성하는 플라부스 곰팡이와 경쟁하는 곰팡이를 함께 자라게 만드는 것이다. 이 원리를 바탕으로 연구진은 플라부스 곰팡이와 경쟁할 만한 곰팡이 '토종황국균 KACC 93295'를 메주에서 분리했다. 해당 곰팡이는 메주와 누룩을 만드는 데 활용할 수 있으며, 전통 방식으로 만든 메주에서 분리했으므로 식품에도 안전하다.

이 곰팡이를 플라부스 곰팡이와 섞어서 배양한 결과, 플라부스 곰팡이가 더 이상 아플라톡신을 생성하지 않았다. 또한 곰팡이를 걸러낸 배양액에 남아 있던 기존의 아플라톡신 양도 많이 줄어들었다.

해외에서 개발된 아플라톡신 억제 곰팡이와 비교한 실험에서도 토종황국균은 뛰어난 능력을 보였다. 플라부스 곰팡이에 미국에서 시판 중인 A제품을 10% 넣었을 때는 1800ppb의 아플라톡신이 생성됐으나, 토종황국균을 10% 넣었을 때는 아플라톡신이 만들어지지 않았다. 이로써 토종황국균의 탁월한 아플라톡신 생성억제력이 입증되었다.

• • •

'적의 적은 나의 친구'라는 말이 있죠. 이 말은 사람이 사는 세상에서만 통하는 것이 아닙니다. 미생물의 세상에서도 나타나는 현상으로, 이를 제대로 이용하면 사람에게 유익한 결과를 얻을 수 있습니다. 그러고 보니 과학기술을 공부해야 할 또 하나의 이유가 생겼네요. 이이제이 방식을 통해 사람에게 유익한 결과물을 얻으려면 적조나 곰팡이 같은 미생물의 정체를 제대로 파악해야 하니까요.

버려지는 채소를 '김'처럼 만들다

업사이클링 식품인 베지트 채소

업사이클링upcycling은 업그레이드upgrade와 리사이클recycle의 합성어로, 버려지는 제품을 단순히 재활용하는 것이 아니라 새롭게 가공해 가치 있는 제품으로 재탄생시키는 것을 의미한다. 직원이 일곱 명에 불과한 일본의 한 중소기업이 버려진 채소를 새롭게 가공한 제품으로 화제가 되었다. 이전에 없던 맛을 갖고 있으면서 오랫동안 보관도 할 수 있는 이 업사이클링 제품은 소비자들에게도 좋은 반응을 얻고 있다.

김처럼 말아 먹는 채소시트

농민이 애써 키운 농산물을 출하도 못하고 갈아엎는 일이 매년 반복되고 있다. 과잉생산으로 인한 가격 폭락이 가장 큰 이유인데, 농림축산식품부에 따르면 이렇게 버려지는 농산물이 연간 100억 원어치를 넘는 것으로 나타났다. 이 같은 문제는 일본에서도 심심찮게 벌어지고 있다. 매년 생산되는 1300만 톤의 채소 가운데 200만

톤 정도가 가격 문제나 병충해 때문에 폐기되는 등 농산물 처리에 관한 한 일본도 많은 문제를 안고 있다.

그런데 일본의 중소기업 '아일'이 버려지는 채소를 업사이클링 할 수 있는 혁신적 방법을 개발했다. 바로 채소를 김치처럼 만드는 것이다. '시트sheet채소'로 불리는 이 제품의 정식 명칭은 '베지트VEGHEET'로, 채소vegetable와 시트sheet의 철자를 따서 만든 합성어다.

시트채소는 잘게 간 채소에 한천을 섞은 다음 말려서 만든다. 주요 품목으로는 당근을 갈아 건조시킨 '당근시트'와 무를 이용한 '무시트' 등이 있다. 이 외에 토마토와 레몬을 소재로 한 제품도 판매되고 있다. 현재 대량생산이 가능한 베지트는 당근과 무로 한정되지만 조만간 토마토, 호박, 파프리카, 바질, 매실, 레몬도 대량생산 시스템을 갖출 예정이다. 특히 매실 같은 경우는 색과 맛이 그대로 살아 있고, 신맛과 짠맛이 조화를 이루고 있어 해외 소비자로부터 좋은 반응을 얻고 있다.

두께가 1밀리미터 정도인 시트채소는 김치럼 바삭바삭한 식감이 특징이다. 평소에는 김처럼 먹다가 물에 살짝 적신 다음 월남쌈처

김처럼 말아 먹는 시트채소

럼 다른 재료와 함께 싸서 먹을 수도 있다. 소다 케이스케ソーダ惠介
대표는 가격이나 품질에 문제가 있어 버려지는 농산물을 조금이라도
활용해보려는 생각에서 시트채소를 개발했다고 밝혔다. 개발 초기에
는 마치 종이를 먹는 것 같은 식감이었으나, 시행착오를 거치면서 효
소분해 기술로 김처럼 바삭바삭하면서도 입에 넣으면 부드러워지는
신개념 채소식품을 개발할 수 있었다.

시트채소는 다양한 용도로 활용할 수 있다. 우선 어린이의 편식
을 고칠 때 요긴하다. 채소를 싫어하는 어린이라도 시트채소로 싸
서 주면 잘 먹게 된다. 유통기한이 1년이라는 점도 시트채소의 장
점이다. 채소는 냉장보관을 하더라도 길어야 일주일 정도가 적정
보존기간이다. 하지만 시트채소는 상온보관이 가능할 뿐더러 유통
기한도 길기 때문에 채소의 영양분을 섭취할 수 있는 보존식품으로
활용이 가능하다.

시트채소는 장식용 식재료로도 활용할 수 있다. 종이로 장식을 만
드는 것처럼 잘라서 다양한 모양을 꾸밀 수 있는데, 당근시트로 만든
학 모양 장식이 대표적이다. 장식용으로 사용한 후에도 식용이 가능
하기 때문에 버려지는 폐기물도 없다.

당질제한 다이어트 식재료로도 으뜸

시트채소를 개발한 주식회사 아일은 일본 규슈 지방 나가사키 현에
위치한 작은 기업이다. 소다 대표는 아버지로부터 물려받은 회사가
경영난에 처하자, 기존에는 없던 채소상품을 선보이기 위해 제품

개발에 뛰어들었다. 그는 시트채소를 개발하기까지 수천 번 실패했고, 김처럼 바삭한 식감을 살리기 위해 실제로 김을 말리는 건조기를 개조하여 특허를 따기도 했다.

이런 노력으로 탄생한 시트채소는 미슐랭 인증을 받은 프랑스와 이탈리아 레스토랑에도 납품되고 있다. 이 레스토랑에서는 시트채소를 다양한 모양으로 잘라 장식으로 사용하거나, 치즈와 초콜릿 등을 넣어 새로운 메뉴에 활용하고 있다. 레스토랑뿐만 아니라 대형마트나 편의점 등에서도 시트채소를 사용한 상품 개발에 열을 올리고 있다.

시트채소는 최근 들어 일본에서 유행하는 '당질제한 다이어트'에 적합한 식재료로도 인기가 높다. 우리나라처럼 탄수화물을 주식으로 하는 일본도 저탄수화물 다이어트에 대한 관심이 상당한 편이다. 당질제한 다이어트는 에베 코지 의학박사가 창안한 다이어트 요법이다. 그는 당뇨병에 걸리고 난 뒤 당질제한 식이요법을 통해 건강을 되찾았는데, 이때 살이 빠지는 과정을 경험하면서 당질을 제한하는 것이 다이어트의 핵심임을 깨달았다.

에베 박사의 당질제한 다이어트는 '구석기 다이어트'라는 이름으로도 유명하다. 이 다이어트의 영양소 비율이 지방 56%, 단백질 32%, 당질 12%로 구석기시대 식생활과 비슷하기 때문이다. 전문가들은 당질제한 다이어트 요법은 지방과 단백질 비율이 합해서 88%이고 당질이 12%라며, 고기와 채소를 충분히 먹어야 다이어트에 성공할 수 있다고 지적한다. 이를 위해 시트채소 같은 제품을 꾸준히 먹는 것이 도움이 된다고도 강조했다.

대한무역진흥공사 KOTRA 조사에 따르면 일본에서 당질제한 식품의 시장 규모는 앞으로도 확대될 것으로 전망됐다. 조금 극단적인 경우이지만, 한 초밥 전문점은 쌀 대신 무로 만든 초밥과 면을 뺀 라멘 같은 '당질 오프 off 식품'을 시리즈로 출시해 발매 10일 만에 100만 개 판매라는 놀라운 성과를 거두기도 했다.

. . .

버려지는 전자제품에서 폐금속을 추출해 비싼 값에 되파는 업체에 대한 뉴스를 본 적이 있죠. 베지트의 경우도 버려지는 채소를 모아 고부가가치 식품으로 재탄생시켰습니다. 혹시 쓰레기 매립장에 가본 적이 있나요? 어마어마한 쓰레기들이 땅에 묻히는 것을 보면 걱정을 넘어 공포스럽기까지 합니다. 지구가 조만간 쓰레기로 뒤덮일 것 같아서요. 많이 늦었지만 지금이라도 쓰레기를 업사이클링 할 수 있는 방법을 열심히 찾는 것이 후대의 부담을 조금이나마 덜어주는 일이 될 것 같습니다.

바다 없는 곳에 바다 관련 시설을 짓는다

내륙의 해양과학관과 양식장, 사막의 수력발전소

나무에 올라 물고기를 구한다는 '연목구어緣木求魚'라는 사자성어가 있다. 원하는 것을 엉뚱한 곳에서 찾으며 괜한 헛수고를 한다는 뜻 이다. 그런데 과학기술 분야에서는 이런 사자성어가 그대로 적용되 지 않는다.

내륙에 조성하는 과학관과 양식장, 그리고 사막에 짓는 수력발전 소 등은 말이 안 되는 헛수고처럼 보인다. 하지만 상식으로 이해하 기 어려운 곳에 자리 잡은 이 시설들은 이미 뛰어난 성과를 내고 있 거나 기대를 모으고 있는 역발상의 산물이다. 과학기술 분야에서는 의외의 결과로 이어지는 사례들을 볼 수 있다.

바다가 없는 곳에 세워지는 해양과학관

해양수산부가 추진해온 '미래해양과학관 건립사업'은 현재 설계 작 업을 진행하고 있다. 설계가 순조롭게 마무리되면 2022년 1월에 착 공해 오는 2025년에는 충북 청주 밀레니엄 타운 부지에 미래해양

관련 교육·문화·과학 시설이 들어서게 된다. 바다의 과거와 현재, 미래를 담아 해양과학과 교육문화 복합공간이 될 미래해양과학관에는 어린이와 청소년들이 첨단 해양과학 기술 등을 보고 느끼고 배울 수 있도록 해양어드벤처관, 해양환경관, 해양로봇관, 해양바이오관, 해양과학교육실 등이 조성된다.

충청북도 청주는 바다에 인접하지 않은 내륙지역이다. 그런 곳에 해양박물관을 짓는다는 건 상식적으로 잘 이해되지 않는 장소 선정이다. 해양박물관이라면 바다로 둘러싸인 곳에 있어야 하지 않을까? 현재 우리나라 해양 관련 시설은 모두 48개인데 남해안 23곳을 비롯해 서해안과 동해안에 각각 7곳과 8곳이 자리해 모두 해안 지역에 조성되어 있다.

그런데 어떻게 내륙지역인 청주에 해양박물관을 건립하게 되었을까? 그 결정을 살펴보면 의외로 참신하면서도 놀라운 역발상이 숨어 있다. 2016년, 충청북도는 해양과학관을 청주에 건립하겠다는 계획을 해양수산부에 건의했다. 건립 계획 소식을 접한 국민들은 의아하다는 반응을 보였다. 충청북도는 9개 광역 자치단체 중에서 유일하게 바다에 인접하지 않은 내륙지방이기 때문이다.

충청북도가 추진하고 있는
미래해양과학관 조감도(충청북도)

하지만 충청북도의 해양과학관 건립 취지가 알려지면서 처음 반응과는 달리 기발한 발상이라는 찬사가 이어졌다. 전 국민이 바다를 제대로 알아야 진정한 해양강국이 될 수 있다는 취지로, 해양과학관을 통해 바다를 보기 어려운 충북도민들에게도 바다의 가치를 제대로 알리고 싶다는 주장이 설득력을 얻은 것이다. 그러나 무엇보다도 국토의 한가운데인 청주에 해양박물관이 세워진다면 접근성이 좋아 보다 많은 국민이 해양 관련 정보들을 접할 수 있다는 주장이 공감대를 형성했다.

서울 시민이 경북 울진의 해양과학교육관을 가려면 차로 3시간 정도를 쉬지 않고 달려야 하고, 부산의 해양박물관을 관람하려면 4시간 정도가 걸린다. 가장 가까운 충남 서천의 해양생물자원관도 2시간 정도가 소요된다. 하지만 국토의 중심부인 청주에 해양과학관이 건립된다면 전국 어디서나 두세 시간 안에 도착할 수 있다. 현재 해양문화 체험시설들이 해결하지 못하고 있는 접근성 문제를 상당 부분 해소하는 것이다.

충청북도가 밝힌 해양과학관의 개요를 보면, 건물 외관은 중생대에 번성했던 암모나이트 모형으로 지어진다. 그리고 전시 콘텐츠와 관련해서는 해양생태관과 해저체험관, 해양바이오관 등으로 구분해 조성할 예정이다. 해양수산부는 2021년까지 미래해양과학관의 설계를 완료하고 시설공사는 2024년까지 진행한다고 밝혔다. 과학관은 전시 콘텐츠 배치와 교육 프로그램 점검 등의 준비과정을 거쳐 오는 2025년 개관을 목표로 하고 있다.

새우하면 당연히 바다가 떠오른다. 어부의 그물에 걸린 자연산 새우나 해안에서 키우는 양식새우나 모두 바다가 길러내는 수산물이다. 그런데 바닷가가 아닌 내륙지방에서 새우를 키우는 양식장이 있다.

충남 예산군 오가면 신장리 일대는 바닷물이라고는 전혀 찾을 수 없는 완전한 내륙지역이다. 그런데 이곳에 예진수산영어조합법인의 박진수 대표가 키우는 바다새우 양식장이 있다. 그는 국립수산과학원 서해수산연구소의 도움을 받아 수년 전부터 대하를 양식하고 있다. 1455제곱미터 규모의 육상 수조식 시설에는 15만 마리의 새우가 자라고 있는데, 이는 기존 양식장의 50배가 넘는 규모다.

일반적으로 바다에서만 양식이 가능한 대하를 어떻게 내륙에서 키울 생각을 했을까? 15년 동안 해안 지역에서 대하 양식을 한 그는 서식 환경만 맞춰주면 양식 장소는 별 상관이 없을 것이라고 생각했다. 그는 서식 환경을 맞추기 위해 직접 서해 바닷물을 공수한 뒤, 물을 교환하지 않고도 대하를 키울 수 있는 국립수산과학원의 친환경 양식기법을 적용했다. 미생물을 이용해 암모니아와 사료 찌꺼기를 완전히 분해하는 수질 정화 방법을 사용한 것이다.

박진수 대표는 "바닷물로만 키우는 것이 기존 양식 방법이었다면, 국립수산과학원 방식은 미생물을 활용해 생산한 일종의 배양액으로 키우는 것"이라고 설명하며 "배양액을 처음 준비할 때 바닷물과 함께 민물을 일부 포함시키는 것도 또 다른 내륙 양식의 비결"이라고 밝혔다. 내륙양식의 놀라운 성과는 출하량에서 드러난다. 바다양식의 경우 3.3제곱미터당 1킬로그램의 새우가 생산되는 반면, 이 양식장에서는 최대 50킬로그램까지 출하가 가능하다.

한 가지 단점이라면 초기 시설비가 상대적으로 높다는 것이다. 그는 "3.3제곱미터당 70만 원에 달하는 시설 투자비가 일반 양식장보다 높은 게 사실"이라고 공개했다. 하지만 "대형마트나 백화점을 통한 포장 새우 판매가 늘어 판로에 대한 걱정이 없고, 먹이통을 사용함으로써 사료비가 절감되는 점 등을 모두 고려하면 바다양식보다 더 저렴한 편"이라고 덧붙였다.

사막에 들어서는 수력발전소

바닷가에서 한참 떨어진 내륙에 만들어질 해양박물관이나 이미 조성된 새우양식장이 국내의 역발상 사례라면, 칠레의 사막지대에 만들어질 수력발전소는 바다와 관련된 해외의 대표적 사례가 될 것이다.

2016년 칠레 정부와 에너지 전문업체 발할라Valhalla는 업무 제휴를 맺고, 칠레 북서부 아타카마 사막지역에 300메가와트MW급 수력

발할라가 건설하는 발전소가 들어설
칠레의 사막지형

발전소를 공동으로 건설하겠다고 발표했다. 소식을 접한 전 세계 에너지 전문가는 자신들의 귀를 의심했다. 이 지역은 1년 내내 비가 한 번도 내리지 않을 만큼 건조한 곳이기 때문이다. 물 한 방울 구하기가 쉽지 않은 지역에서 수력발전을 하겠다는 깜짝 발표에 모두들 미친 짓이라고 수군거렸다.

하지만 세부적인 건설 계획이 발표되면서 그런 의구심은 대부분 사라졌다. 아무도 시도하지 못했던 역발상 아이디어가 포함되어 있었기 때문이다. 발할라가 주목한 계획의 핵심은 이 사막이 갖고 있는 독특한 지형이었다. 이곳은 안데스 산맥 고산지대에 위치한 사막으로, 산맥 아래로 태평양이 펼쳐지는 곳이었다. 과거에 저수지로 사용되다가 이제는 흔적만 남아 있는 그 사막으로 태평양 바닷물을 끌어올린 다음, 이를 다시 바다로 내려보내면서 고도차를 이용한 수력발전을 한다는 것이 핵심이었다.

이와 관련해 발할라의 프란치스코 토릴바Francisco Torrealba 전략담당 이사는 "산맥 정상에 위치한 두 개의 저수지 터에는 2만2000개 정도 수영장을 메울 수 있는 물을 담을 수 있다."라고 설명하며 "태평양에서 바닷물을 끌어올릴 수만 있다면 24시간 내내 돌아가는 수력발전이 가능하다."라고 밝혔다. 태평양 물을 고산지대로 끌어올리는 것이 가능한가에 대해서도 "전력이 남아도는 심야시간이나 태양광을 이용해 물을 퍼올린다면 별도의 에너지를 사용하지 않고도 산맥 정상까지 올릴 수 있다."라고 덧붙였다.

현재 발전소는 녹색기후펀드Green Climate Fund의 투자를 받아 본격적인 공사에 들어갈 예정이다.

바다 인근이 아닌 내륙에 해양과학관을 짓거나 양식장을 조성하는 것은 헛수고를 하는 것처럼 보입니다. 하지만 '전혀 예상치 못한 소중한 발견' 이란 의미를 가진 '세렌디피티serendipity'라는 단어처럼 나무 위에서 물고기를 잡는다는 역발상적 행동이 오늘날 첨단문명을 만드는 원동력이 아닐까요?

문화재 위에 건물을 짓는다

경남과학교육원과 공평도시유적전시관

둘 중에서 하나만 선택해야 한다는 '양자택일兩者擇一'이라는 고사성어가 있다. 그 경우 대상이 음식이거나 옳고 그름의 문제라면 선택은 그리 어렵지 않다. 음식이라면 더 먹고 싶은 것을, 옳고 그름의 문제라면 옳은 것을 선택하면 된다. 하지만 양쪽 모두 명분과 가치를 가지고 있는 경우라면 선택이 쉽지 않다. 선택에 따라 원하는 결과가 아니라 전혀 다른 방향의 결과가 나타날 수도 있기 때문이다.

　이럴 때일수록 발상을 전환할 필요가 있다. '개발이냐 보존이냐'를 두고 선택해야 했던 사례가 바로 '화석 위에 건립된 과학교육원'과 '유적지 위에 세운 업무용 빌딩'이다. 이 건물들은 문제를 과학적으로 새롭게 접근한 역발상의 결과물이다.

화석 위에 세워진 과학교육원

경남 진주에 있는 경남과학교육원 건물은 다른 지역 과학교육원과는 달리 독특한 공간을 갖고 있다. 'ㄷ'자형으로 이루어진 지하 1층과 지상 5층 본관 건물은 특별할 것이 없다. 하지만 그 사이에 있는 반지하층 전시관은 다르다. 천연기념물 새의 발자국이 찍힌 화석을 자연 그대로 보관하고 있는 것이다. 공사 중에 새의 발자국 화석을 발견했는데 이를 보존하기 위해 그 위에 과학교육원 건물을 지었다. 지금이야 '과학'과 '화석'이란 멋진 조합을 가진 차별화된 건물로 평가받고 있지만 공사 직후에 발견된 이 화석들로 인해 건물이 완공되어 개원하기까지 적잖은 어려움을 겪었다.

새 발자국 화석이 발견된 것은 착공한 지 1년쯤 지난 1997년의 일이었다. 지하층 공사를 위해 바닥을 파내다가 새 발자국이 찍혀 있는 바윗돌을 발견했다. 교육원 측이 곧바로 신고해 문화재청 실사단이 조사한 결과, 화석의 주인공은 1억 년 전 중생대 조류인 것으로 확인되었다. 놀라운 발견에 고고학계는 환호했지만, 경남과학교육원은 난처한 지경에 이르게 됐다. 당시만 해도 공사현장에서 문화재가 발견되면 대부분 공사를 포기하는 게 관행이었기 때문이다. 그렇다고 실제로 공사를 포기할 수도 없었다. 건축 예산도 이미 40억 원 정도 투입된 상태라 공사를 중단하는 것은 생각조차 할 수 없

교육원 지하에 자리한 화석문화재전시관
(경상남도과학교육원)

었다.

혹시나 하고 문화재청의 정밀조사 결과를 기다리던 교육원은 새 발자국 화석이 천연기념물 395호로 지정되면서 기대조차 완전히 접어야 했다. 화석이 발견된 지 꼭 1년이 지난 1998년 말이었다. 그때까지 현장은 유물 보존을 위해 흙으로 메워진 채, 공사는 전혀 진척되지 못하고 있는 상황이었다. 그런데 새로 부임한 교육감이 적극 나서면서 반전의 기회를 얻었다. 교육감은 문화재청에 재심의를 요청하며 과학교육원의 설립 취지를 강력하게 설명했다.

"과학교육원이 무엇을 하는 곳인가? 청소년에게 과학이 무엇인지를 가르치는 곳이 아닌가? 화석, 그것도 모형이 아니라 자연 그대로의 화석이라면 일부러 찾아가서라도 보여줘야만 한다. 그런데 교육원 안에 화석 자체가 보존되어 있다면, 이보다 좋은 과학교육 현장이 어디 있는가."

교육감이 관계 기관을 쫓아다니며 공사 재개를 위해 노력하는 동안, 과학교육원 측도 다양한 설계 아이디어를 제공하여 힘을 보탰다. 특히 새 발자국 유적을 건물 내부에 배치하여 유물을 보존하는 동시에 교육원 건물도 무리 없이 짓는 역발상 설계방안이 문화재청의 마음을 움직였다.

결국 심의를 미루던 문화재 위원들도 "유적 보존에만 신경을 쓰다 보니 과학교육과 화석의 시너지 효과를 고려하지 못했다."라고 미안해하며 2005년에 허가를 내줬다. 공사 재개 허가서를 손에 쥔 채 감격해 하던 교육감은 "취임 직후 폐허처럼 방치된 공사현장을 둘러보면서, 이 어려운 상황을 극복할 수 있는 창의적 방안이 없을까 끊임없이 고민한 결과가 오늘의 공사 허가로 이어졌다."라고 말했다.

비록 당초 예상보다 8년이라는 시간이 더 걸렸지만, 경남과학교육원의 완공은 '유적 발굴은 공사 중단을 의미한다'라는 불문율을 끊는 계기가 되었다. 경남과학교육원의 완공은 교육계에서도 대표적인 역발상 사례로 전해진다.

서울의 폼페이 공평도시유적전시관

유적 위에 지은 역발상 건물이 서울에도 있다. '한국의 폼페이'라고도 불리는 '공평도시유적전시관'이다. 연면적 3800여 제곱미터에 달하는 이 전시관은 서울시 최대 규모의 유적전시관으로, 서울 종로구 공평동의 한 빌딩 지하에 있다. 16세기부터 17세기에 이르는 조선시대 집터와 골목길, 생활유물 등 총 1000여 점의 주요 전시물이 보존되고 있는 만큼 서울역사박물관 분관으로 운영되고 있다.

공평도시유적전시관의 탄생은 서울시가 2000년대 초반부터 실시한 도시 재개발사업이 계기가 되었다. 당시 서울시는 재개발사업 전에 반드시 문화재 발굴조사를 시행하도록 했는데, 이런 정책이 공평도시유적전시관으로 이어진 것이다. 서울시 담당자는 이 같은 정책을 시행하게 된 배경에 대해 "경제성장을 위한 재개발 우선 정책에 밀려 서울 사대문 안 땅속에 묻혀 있던 문화재를 제대로 보존하지 못했던 것이 사실이다."라고 설명하며 "이러한 문화재가 그냥 사라져버릴 수 있다는 절박함이 문화재 발굴조사를 시행하게 만들었다."라고 밝혔다.

문화재 보존의 중요성에 눈뜬 서울시는 2004년에 시행된 청진 6
지구 재개발사업부터 문화재 발굴조사를 먼저 실시하도록 조치했
다. 그 결과 청진지구를 비롯한 사대문 안 지역에서 조선시대 마을
흔적이 하나둘씩 발견됐고, 국보급 백자를 대량으로 발굴하는 성과
도 거둘 수 있었다.

문제가 없었던 것은 아니다. 재개발사업의 특성상 개발사업을 포
기하고 문화재만을 보존하기가 쉽지 않았다. 더군다나 개인 소유의
토지일 경우 '이익 추구'와 '문화재 보존'이라는 명분이 맞물리면서
해결이 쉽지 않았다. 이 같은 난제를 해결하기 위해 서울시는 토지
주인들에게 역발상적 개발 방안을 제시했다. 발굴된 유적지와 유물
들을 전면 보존하기 위해, 건물을 지을 때 용적률을 상향할 수 있는
인센티브 제공을 제시한 것이다.

예를 들어 기존 건축법에 따르면 10층 건물을 지어야 하는 토지
이지만, 이 예외 규정을 적용하면 용적률이 높아져 15층까지 지을
수 있었다. 대신에 토지 주인들은 문화재가 발굴된 지하 1층에 유

한국의 폼페이로 불리는 공평도시유적전시관 내부

적지 전시관을 조성한 후, 이를 국가에 기부 채납하는 계약을 맺었다. 공평도시유적전시관 건립은 기존의 문화재 보존 방식을 획기적으로 개선한 역발상 사례로 지금까지 활용되고 있다.

• • • •

인생을 살다보면 선택의 순간을 수없이 만납니다. 그때마다 뭔가를 선택하는 것은 상당히 어려운 일이죠. 특히 선택의 대상이 나름대로의 가치와 명분을 가지고 있다면 더더욱 어려운 일이 될 수밖에 없는데, 역발상은 바로 이럴 때 필요한 사고방식입니다. 둘 중의 하나를 고르는 것이 아니라, 둘의 장점을 하나로 묶어내는 발상의 전환이 우리를 새로운 길로 안내할 겁니다.

우아하뇨

Part 2

생활에서 배우는
역발상의 과학

진정한 항해는 새로운 땅을 찾는 것이 아니라
새로운 눈으로 보는 것이다.

마르셀 프루스트(Marcel Proust) _ 소설가

따뜻한 물이 찬 물보다 빨리 언다

음펨바 효과와 브라에스 가설

급할수록 지름길로 가야 하는데 왜 속담에서는 '급할수록 돌아가라'고 할까? 상식적으로 잘 이해되지 않는 역설적 교훈이지만, 과학기술 입장에서 보면 충분히 공감할 수 있는 논리다. '급할수록 질러가야 한다'라는 고정관념을 깨는 것이 바로 과학이다. '음펨바 효과 Mpemba Effect'와 '브라에스 가설Braess Paradox'은 고정관념을 깬 사례들이다. 얼핏 보면 이미 답이 나와 있다고 생각하기 쉬운 문제인데, 좀 더 파고들면 완전히 상반된 답이 나온다.

시원한 물보다 먼저 어는 따뜻한 물

'따뜻한 물이 빨리 얼까? 차가운 물이 빨리 얼까?' 이 물음에 사람들은 어떻게 대답할까? 아마도 '이걸 문제라고 내는 거야? 당연히 차가운 물이지'라고 답하는 사람이 대부분일 것이다. 맞는 답이지만, 정답은 아니다. 때로는 따뜻한 물이 차가운 물보다 빨리 얼 수도 있기 때문이다.

따뜻한 물이 어떻게 차가운 물보다 먼저 얼 수 있을까? 물론 펄펄 끓는 물이 얼음처럼 차가운 물보다 빨리 언다는 의미는 아니다. 섭씨 30도 정도의 따뜻한 물과 섭씨 10도 정도의 시원한 물을 얼릴 때 따뜻한 물이 먼저 얼 수도 있다는 뜻이다.

기존의 상식으로는 이해가 안 되는 이 역설적 발견은 고정관념을 깬 한 고등학생에게서 비롯되었다. 1969년 아프리카 탄자니아의 중학생이었던 에라스토 음펨바Erasto B. Mpemba는 학교에서 끓는 우유와 설탕을 섞어 아이스크림을 만드는 실습을 하다가 따뜻한 물이 차가운 물보다 빨리 얼 수도 있다는 사실을 발견했다.

1년 뒤 고등학교에 진학한 음펨바는 물리학자 데니스 오스본Dennis Osborne의 강연 때 "같은 부피의 물을 냉동실에 넣었을 때, 높은 온도의 물이 낮은 온도의 물보다 더 빨리 어는 이유가 무엇인가?"를 물었다. 친구들은 말도 안 되는 질문이라며 일제히 음펨바를 놀려 댔지만, 오스본 박사만큼은 그의 질문에 주목했다. 이후 오스본 박사는 다양한 실험을 통해 음펨바의 말이 사실임을 확인했다. 하지만 이 현상의 원인에 대해서는 오스본 박사를 비롯한 수많은 과학자들도 제대로 밝히지 못했다.

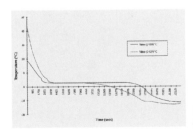

따뜻한 물이 차가운 물보다 빨리 언다는 것을 보여주는
음펨바 효과의 그래프

음펨바 효과는 수십 년이 흐른 최근에야 싱가포르 과학자들에 의해 규명됐다. 바로 물의 수소결합과 공유결합의 상관관계가 음펨바 효과를 일으키는 이유로 밝혀졌다. 물을 이루는 수소원자와 산소원자의 결합은 물을 끓이면 그 간격이 벌어지면서 수소결합 역시 길어진다. 이렇게 끓인 물은 냉각할 때 결합 간격이 다시 줄어들면서 축적했던 에너지를 방출하는데, 뜨거운 물은 축적된 에너지양이 많아서 냉각 시 더 빠른 속도로 에너지를 방출하는 것이다.

다시 말해 물에서 일어날 수 있는 증발과 대류, 그리고 전도 같은 현상들이 동시에 작용하면서 뜨거운 물이 식을 때 물이 증발하고, 이 증발로 많은 열을 잃음과 동시에 물의 양도 줄어서 더 빨리 얼게 되는 것이다.

도로를 넓히면 혼잡도가 증가한다

음펨바의 효과만큼이나 역설적인 과학계의 가설로 교통 혼잡과 관련한 '브라에스 가설'이 있다. 도로가 좁은 곳에서 교통 혼잡이 발생할 경우 상식적인 사람이라면 '좁은 도로에 차가 많아 혼잡이 심

도로를 넓히면 오히려 교통수요가 늘어나
교통체증을 유발한다는 것이 브라에스 가설이다.

해지기 때문에 도로를 더 넓혀야 한다'라고 생각할 것이다.

그런데 독일 수학자 디트리히 브라에스Dietrich Braess 교수는 정반대의 생각을 했다. 그는 도로를 넓히면 오히려 교통수요가 늘어 혼잡도가 줄기는커녕 더 증가한다는 '브라에스 가설'을 발표해 주목을 끌었다. 그의 가설을 뒤집어 생각해보면 도로를 줄일 경우 자동차도 같이 줄어서 혼잡도가 감소한다는 의미이기도 하다. 이 같은 비상식적인 가설은 과연 맞았을까? 해답은 뉴욕의 42번가 도로에서 찾을 수 있다. 브라에스의 가설이 적용된 대표적 장소이기 때문이다.

1990년 뉴욕 주지사는 '지구의 날' 행사를 위해 42번가 도로를 하루 폐쇄하기로 결정했다. 42번가는 혼잡하기로 유명한 뉴욕 도로 중에서도 가장 악명이 높았기 때문에, 많은 사람이 사상 최악의 교통 정체가 발생할 것이라고 예상했다. 그러나 폐쇄된 42번가에서 교통 대란은 없었다. 오히려 주변 교통 흐름이 좋아져서 뉴욕 시민은 그날 새롭게 변신한 42번가의 모습을 즐겼다. 그 후 뉴욕시는 42번가 도로의 차량을 조금씩 제한하는 대신에 보행자와 관광객을 위한 도보 공간을 늘려나갔다. 그 결과 자동차 통행이 대폭 줄어든 42번가는 뉴욕에서 가장 유명한 관광지가 됐다. 특히 도보 공간의 확대는 타임스퀘어 광장과 브로드웨이 거리가 뉴욕과 미국을 대표하는 관광 명소로 성장하는 데 결정적 기여를 했다.

이렇게 브라에스 가설 효과가 입증된 후 여러 나라가 교통 혼잡에 대한 대책으로 도로 축소를 도입하고 있다. 서울에서도 브라에스 가설 효과가 나타난 실제 사례가 있어 주목을 끌었다. 바로 2015년 12월 13일 고가도로가 폐쇄된 서울역 주변 도로다. 모두들 고가

도로가 폐쇄되면 교통 혼잡이 불가피할 것이라고 우려했지만 실제로 교통대란은 나타나지 않았다.

교통상황을 점검한 결과 폐쇄 이전 서울역 주변 통행속도는 오전 평균 시속 20.3킬로미터 정도였는데 비슷한 흐름을 보였다. 교통정체 시간대인 출퇴근 시간은 비슷한 속도를 유지했고, 나머지 시간대는 오히려 시간이 갈수록 교통 흐름이 나아졌다. 만성 정체를 겪던 만리재로 등 도심과 가까운 도로의 차량흐름도 덩달아 개선되었다. 이에 대해 서울시는 그동안 고가도로를 이용하던 차량들이 강변북로 등으로 빠지면서 원거리로 분산되었기 때문이라고 밝혔다.

• • •

상식의 사전적 의미는 '사람들이 대부분 알고 있거나 알아야 하는 지식'입니다. 그만큼 보편화된 정보라는 거죠. 하지만 상식이라고 해서 모두 맞는 것은 아닙니다. 실제로 음펨바 효과와 브라에스 가설처럼 상식이 뒤집히는 상황을 만날 때도 있으니까요. 이런 예기치 못한 순간을 접했을 때, 상식적이지는 않지만 사실일 수 있다는 점을 인지하는 능력을 기르려면 어떻게 해야 할까요. 과학을 공부하는 이유가 바로 여기에 있습니다. 탐구하는 자세와 새로운 시각에서 접근하는 창의성은 모두 과학에서 나오기 때문입니다.

쓰레기의 변신은 무죄

에너지로 바뀌는 가축분뇨와 생활쓰레기

'개똥도 약에 쓰려면 없다'라는 속담이 있다. 평소에는 아무짝에도 쓸모없지만, 막상 필요해서 찾으면 별로 없어서 희소가치가 생기는 것들이 있다. 주위를 둘러보면 이런 개똥 같은 것들을 찾을 수 있는데, 매립이나 소각 말고는 별다른 활용 방안을 찾을 수 없는 가축분뇨나 생활쓰레기가 대표적이다. 그런데 이제는 이런 것들이 귀한 대접을 받을 날도 멀지 않았다. 가축분뇨와 생활쓰레기를 고효율 에너지원으로 탈바꿈하는 방법이 개발됐기 때문이다. 버려지는 폐기물들을 자원화해 에너지 낭비를 줄이고 환경도 보존하는 '분뇨의 고형 연료화' 기술과 '생활쓰레기의 고형 연료화' 기술이 바로 그 결과물이다.

소똥으로 만드는 대체에너지

우리나라의 가축분뇨 발생량은 연평균 4000만 톤 정도인데, 그중 90% 정도가 퇴비나 액비로 사용되고 나머지는 폐기된다. 특히 정부의 퇴비 관리 강화제도와 지역단위 총량제도의 시행으로 처리하지 못하는 가축분뇨가 증가해 축산농가도 적잖은 부담이었다.

정부는 오래전부터 분뇨를 유용한 자원으로 재활용할 수 있는 방안들을 모색해 왔는데, 그중 하나가 '분뇨의 고형 연료화'다. 가축이 배설하는 분뇨는 80% 이상이 유기물로 구성되어 있기 때문에 연소가 가능하다. 특히 소똥의 경우는 풀 사료나 볏짚 같은 가연성 섬유소 등이 포함되어 있어 연료로 활용할 수 있는 가능성이 높다.

소 분뇨를 단시간에 고형연료solid fuel로 만드는 농촌진흥청의 기술은 수분이 60% 이상인 분뇨를 이틀 만에 직경 1~2센티미터 이하의 펠릿pellet 형태로 가공한다. 축사에서 수거한 분뇨를 압착해 수분을 줄인 뒤, 막대 모양의 펠릿을 만드는 장치에 넣고 가공하면 고형연료가 완성된다. 이 방법이 특히 농가로부터 환영을 받는 것은 축사의 분뇨를 바로 가공하여 쌓여 있는 시간을 최대한 줄여주기 때문이다.

기존 방법이 대략 1~2개월 걸렸던 것에 비하면 분뇨의 고형 연료화 기술이 얼마나 짧은 시간에 분뇨를 처리하는지 알 수 있다. 처리시간의 단축은 단순히 시간만을 절약하는 것이 아니라 인건비와

분뇨를 펠릿 형태로 만든 고형연료

운영비, 원자재비 등을 아낄 수 있기 때문에 경제적인 면에서도 상당히 효과적이다.

가축분뇨로 만든 펠릿 형태의 고형연료는 발전용량이 2메가와트MW급 이상인 화력발전시설과 열병합발전시설, 석탄 사용량이 시간당 2톤 이상인 지역난방시설이나 산업용 보일러 등에 사용할 수 있다. 가축분뇨의 대체 에너지원으로서 활용성도 그리 나쁘지 않다. 농촌진흥청에 따르면 고형화 기술을 적용할 경우 소똥 1톤으로 약 300∼400킬로그램의 고형연료를 만들 수 있다. 발열량은 1kg당 3000kcal 이상으로 무연탄의 70% 수준이다. 매년 배출하는 2000만 톤의 소똥 중 일부를 고형 연료화하면 발전소에서 쓰이는 화석연료 소요량의 1%만 대체해도 약 1000억 원 정도의 경제적 효과를 기대할 수 있는 정도다.

생활쓰레기도 고형연료로

생활쓰레기도 가축분뇨만큼이나 개똥 취급을 받는다. 하지만 수도권매립지관리공사에서는 생활쓰레기가 특별한 대우를 받고 있다.

가연성 쓰레기를 분류해 고형연료를 만들 수 있다.

2010년부터 운영되고 있는 가연성 폐기물 자원화 사업 덕분이다. 이 시스템은 각 가정에서 배출한 생활쓰레기를 가연성 쓰레기와 불연성 쓰레기로 분리 선별한 뒤에 가연성 쓰레기만을 고형연료로 만든다.

자원화 시설은 1일 200톤 규모의 가연성 쓰레기 처리 능력을 갖추고 있는데, 여기서 생산된 고형연료는 발열량이 1kg당 약 4700kcal에 달하는 것으로 알려져 있다. 이는 4급 무연탄의 발열량인 kg당 4600~4800kcal에 맞먹는 수준으로, 연료적인 가치가 높기 때문에 산업용 보일러나 화력발전소 등의 연료로 활용되고 있다. 고형연료의 판매가격은 톤당 5만 원 안팎으로 4급 무연탄의 톤당 가격에 비해 3분의 1에 불과하기 때문에 경제성도 상당히 우수한 편이다.

수도권매립지관리공사에 따르면 생산된 고형연료는 연간 약 3만 배럴의 원유수입 대체효과를 가져와 매년 약 33억 원의 비용을 절감할 수 있다. 무엇보다 매립해야 할 폐기물을 재활용함으로써 얻는 환경적인 측면도 무시할 수 없는 이익이다.

• • •

개똥 취급을 받는 가축분뇨나 생활쓰레기가 귀한 대접을 받는 소재로 변신하는 과정에는 과학기술이 관여하고 있습니다. 과학기술이 아니었다면 영원히 개똥 취급을 받았겠죠. 인생도 마찬가집니다. 현재의 삶이 개똥같다고 생각한다면 인생을 바꿀 수 있는 무언가를 찾는 것이 필요합니다. 분뇨나 쓰레기가 과학기술의 도움으로 귀한 소재가 된 것처럼 말이죠. 그 무언가는 열심히 공부하는 것일 수도 있고, 나쁜 습관을 바꿔보는 것일 수도 있습니다. 오늘은 우리 삶을 바꿔줄 그 무언가를 찾아보면 어떨까요?

눈앞의 현실을 보고도 믿기지 않는다

자동차를 위한 아파트와 산을 뒤집어놓은 듯한 문화공간

'백번 듣는 것이 한번 보는 것만 못하다'라는 뜻의 '백문百聞이 불여일견不如一見'이란 고사성어가 있다. 그런데 이제는 백문이 불여일견이라는 말조차 뛰어넘는 역발상의 건물들을 만날 수 있다. 건물에 대한 고정관념을 제대로 깬 '사람보다 먼저인 자동차를 위한 아파트'와 '산을 뒤집어놓은 듯한 모양의 문화공간'이 그 주인공들이다.

주차장의 고정관념을 깬 스카이 차고

부자들이 많이 사는 것으로 유명한 뉴욕 맨해튼은 면적이 60여 제곱킬로미터로 여의도의 약 20배 정도인 그리 크지 않은 섬이다. 인구밀도가 높은 뉴욕에서도 맨해튼은 거주 주민이 150여만 명에 이르는 초고밀도 지역이다. 이 때문에 맨해튼 주민의 가장 큰 스트레스 중 하나가 바로 주차 문제다. 아무리 억만장자라 하더라도 공동주택이 대부분인 맨해튼에서는 주차공간을 찾기 위해 어두운 지하주차장을 이리저리 헤맬 수밖에 없다. 수백만 달러 고급 차량이라도 예외는 없다.

이 지역에서는 단독주택에 사는 사람들처럼 창문 너머로 자신의 고급 승용차를 감상하는 일이 애당초 불가능했다. 그런데 한인 건축가이자 사업가인 영우Young Woo 대표가 이런 고정관념을 깼다. 글로벌 금융위기가 한창이던 2008년, 그는 거실 유리벽을 통해 바로 옆에 만든 차고의 차를 감상할 수 있도록 신개념 아파트를 구상했다. 다른 사람들처럼 지하주차장에 주차하고 아파트로 이동하는 것이 아니라, 차량용 엘리베이터를 이용해 자신의 아파트에 마련된 차고로 직행하는 구조를 떠올린 것이다.

처음에는 단순한 아이디어에 불과했지만, 프로젝트가 구체화되면서 그는 '스카이 차고Sky Garage'라는 이름의 아파트를 건축하겠다고 발표했다. 층마다 차고가 마련된 아파트 건축계획이 발표되자, 회사는 물론 뉴욕 부동산업계에서도 그를 미친 사람 취급했다. 그를 아는 모든 사람이 사업성이 없을 뿐만 아니라 불가능한 일이라며 반대했다.

그도 그럴 것이 당시 미국은 연일 계속되는 금융위기로 부동산 경기가 폭락한 상태였다. 기존의 일반 아파트도 보장이 없던 시기

아파트 거실 옆에 있는 스카이 차고

에 공사비가 두 배나 들어가는 건물을 짓겠다고 나섰으니 누구도 동의하지 않은 것이다. 결과는 예상 밖이었다. 아파트가 완공되자 같은 규모의 다른 아파트보다 300만~400만 달러가 더 비싼 가격임에도 불구하고 매물로 내놓은 200채 모두가 날개 돋친 듯 순식간에 동이 나버렸다. 우 대표는 "자신이 아끼는 차를 가까이 두고 싶어 하는 억만장자들에게는 돈이 문제가 아니라는 점에 주목했다."고 밝히며, "건물을 디자인할 때는 고정관념에 얽매이지 않는 역발상 사고가 중요하다."라고 강조했다.

지금도 프리미엄을 받으며 거래되고 있는 이 스카이 차고 아파트는 뉴욕 부동산업계에서 '아파트는 사람이 거주하는 공간'이라는 상식과 통념을 깨버린 대표적 사례로 꼽히고 있다.

용도보다 형태를 우선시하다

뉴욕 스카이 차고 아파트가 주차장에 대한 고정관념을 깬 사례라면, 인천 송도에 있는 트라이볼Tri-Bowl은 용도가 형태를 만든다는 건축계 통념을 바꿔버린 또 하나의 역발상 건축물이다. 이 건물은

파빌리온 건축으로 유명한 인천 송도의 트라이볼

마치 세 개tri의 그릇bowl을 뒤집어놓은 것 같다고 해서 트라이볼이라는 이름을 지었다. 건물 아랫면은 뾰족하고 천장은 평평한 독특한 외관을 지니고 있어서 멀리서 보면 정말 그릇을 뒤집어놓은 듯하다.

이렇게 기형적이면서도 독특한 외관 덕분에 트라이볼은 2009년 인천에서 열린 세계도시축전을 상징하는 건축물로 꼽혔고, 현재는 공연과 전시 복합문화공간으로 운영되고 있다. 트라이볼이 역발상적 건축물로 주목을 받고 있는 이유는 바로 파빌리온pavilion 건축물이기 때문이다. 파빌리온이란 온전한 건축물이 아닌 가설 건물이나 임시 구조체를 뜻하는 말로, 최근에는 기능적으로 모호해 오히려 용도가 변화무쌍한 건축물을 가리키기도 한다.

트라이볼을 설계한 아이아크의 유걸 대표는 "건물은 일반적으로 용도가 결정된 이후 형태가 지어진다. 하지만 형태가 용도보다 우선이 되는 역발상 건축물을 지으면, 사용자는 이 공간을 가지고 무엇을 할까라는 생각을 하게 된다."라고 말했다. 그의 말대로 트라이볼의 시작은 행사를 기념하는 상징으로서 '형태'를 우선한 건축물

보고도 믿기지 않는 DDP

2014년 개관한 동대문디자인플라자(DDP)는 옛 동대문운동장 부지에 서울시가 약 4800억 원을 들여 건립한 복합문화공간이다. 영국의 세계적 건축가 자하 하디드(Zaha Hadid)가 설계한 DDP는 세계 최대 규모의 3차원 비정형 건축물이다. 그동안 각종 전시, 패션쇼, 신제품발표회, 포럼, 컨퍼런스 등 다양한 문화 행사가 진행됐으며 현재는 하루 평균 방문자가 4만 명을 넘는 서울의 명소로 자리 잡았다.

이었다. 하지만 행사 이후에는 야외 무용공연이나 미술 전시, 상설 뮤지컬 공연 등이 1년 내내 열리는 복합문화공간으로서의 '용도'를 충실하게 수행하고 있다.

막히면 없애 버리고 혼잡하면 더한다

신호등 없는 도시와 돌출형 정거장

'빨리 가려면 혼자 가고 멀리 가려면 함께 가라'라는 아프리카 속담이 있다. 구성원 각자의 다양성을 인정하면서, 조금씩 양보하고 협력해야만 지속가능한 사회로 나아갈 수 있다는 의미다. 사회를 발전시킬 수 있는 첨단기술도 자신만을 위해 사용한다면 그 사회는 발전할 수 없다.

사회 전체를 위해 기술을 잘 사용한 사례로, '신호등을 없애 교통난을 해결한 도시'와 '정류장을 돌출시켜 교통 혼잡을 해소한 도시'가 있다. 두 경우는 도심의 교통난 해소를 위해서는 첨단 교통과학보다 시민의 적극적인 협조가 더 효과적이라는 사실을 보여주는 역발상의 결과로, 서로를 배려하며 작은 불편을 감수할 때 과학기술도 성공할 수 있다는 점을 알려준다.

신호등, 인도, 교통표지판을 모두 없애버린 도로

독일 니더작센 주의 작은 도시 봄테는 교통정체가 심하고 안전에도 문제가 많은 곳으로 유명했다. 도로에서는 트럭과 보행자, 자전거 이용자 등이 한데 뒤섞이는 등 아찔한 장면이 자주 연출되곤 했다. 시에서 도로를 확장하고 신호체계를 개선하는 등 다양한 방법을 시도했지만 좀처럼 개선되지 않았다. 상황이 여의치 않자 시는 결국 특단의 조치를 내렸다. 신호등과 인도를 없애고 도로 바닥에 그려진 각종 교통관련 표지도 다 지워버린 것이다. 역발상적인 위험한 조치였지만 그런 극약처방을 할 수밖에 없을 만큼 봄테의 교통 상황이 심각했다.

봄테 시가 이렇게 극단적인 조치를 취한 것은 도로에 대한 완전히 새로운 개념이 필요하다고 생각했기 때문이다. 사실 운전자는 도로가 보행자보다 운전자 위주로 조성되었다고 인식해 속도제한이나 도로 표지판에 주의를 기울이지 않는다. 봄테 시는 신호등을 없애고 노상표지를 지워버리면, 운전자가 평소와 다른 환경에 불안을 느껴 오히려 더 주의를 기울일 것이라고 판단했다.

그렇다고 이런 생각만으로 교통 혼잡을 줄일 수는 없었다. 시는 교통신호와 관련된 인프라 증설보다는 운전자가 배려와 안전을 우선시할 수 있는 시스템 구축을 교통전문가에게 요청했다. 이렇게

공간 나눠쓰기 프로젝트로 교통지옥을 해결한
독일 봄테의 표지판

해서 이른바 '공간 나눠쓰기Shared Space' 교통 시스템이 탄생했다. 시스템의 핵심은 '단속을 하지 않는 대신에 사람이든 차든 먼저 양보를 한다는 것'이었다.

이후 상황은 어떻게 변했을까. 신호등이 없어지자 처음에는 자동차나 사람이나 모두 횡단보도를 무시하며 지나쳤다. 운전자는 도로 중간만 아니면 아무 곳에나 주차할 수 있었고, 교통법규도 '무조건 양보'만 하면 됐다. 모두 도시가 교통지옥으로 변할 것이라고 예상했다.

그런데 한 달 정도가 지나자 의외의 상황이 전개됐다. 교통흐름이 예전보다 훨씬 원활해지고 교통사고도 획기적으로 줄어든 것이다. 도심지 사거리에서 하루 50여 건 발생하던 사고가 시스템 시행 이후에는 10건 아래로 급감했다. 단속이 없어지자 운전자가 오히려 골치 아픈 사고가 발생하지 않도록 신경 쓰며 운전해 결과적으로 도로가 더 안전해진 것이라고 봄테 시는 밝혔다.

만성적 주정차 문제를 해소한 돌출 정류장

독일 봄테와 달리 안양시에서는 버스 정류장을 돌출시키는 역발상

만성적 주정차 문제를 해결하는
돌출형 정거장(경기도 안양시)

을 통해 교통 흐름을 크게 개선시킨 사례가 있다. 우리나라 버스 정류장은 대부분 차도에서 인도 쪽으로 움푹 들어간 버스베이Bus-bay 형태로 되어 있다. 원활한 차량 통행을 위한 것이지만, 문제는 버스는 물론 버스 이용자나 보행자에게 별로 도움이 되지 않는다는 사실이다.

도로가 혼잡한 출퇴근 시간에 버스는 버스베이로 진입하는 것을 꺼린다. 버스베이에서 다시 도로로 진입하는 것이 어렵기 때문이다. 게다가 승용차나 오토바이 등이 버스베이에 불법 주차하는 등 본래의 목적과는 다른 용도로 사용되는 경우가 많아 오히려 교통 혼잡이 심각해졌다. 좁은 정류장에서 버스 이용자와 보행자가 부딪힐 만큼 혼잡한 것도 문제였다.

이를 해결하기 위해 안양시는 2015년에 인덕원과 흥안대로 등 세 곳의 버스정류장에 차도 쪽으로 돌출시키는 확장형 정류장을 설치했다. 버스벌브Bus-bulb라는 이 정류장은 버스베이와 반대로 인도 일부를 차도 쪽으로 넓힌 형태다.

이 정류장들은 평소에도 교통량이 많은 곳으로 승객을 태우려는 택시와 주정차하는 승용차까지 많아 교통 혼잡이 심각한 곳이었다. 정류장을 확장형으로 바꾼 후 8개월 동안 무엇보다 정류장 불법 주정차가 무려 80% 이상 감소했다. 노선버스의 정류장 진입은 한결 수월해졌고, 승하차하는 승객의 위험 요인도 사라져 대중교통 만족도가 크게 향상되었다. 인도 폭이 넓어진 덕분에 보행자와 주변 상가의 환경 개선 효과까지 이어진 것으로 나타났다.

아무리 좋은 제도가 있어도 사람들이 제대로 활용하지 않으면 성과를 기대하기 어려운 법이죠. 과학기술도 마찬가집니다. 미래에 지금보다 기술이 더 발전된다고 해도 달라지지 않으리라 봅니다. 사람과 사람의 약속, 그리고 배려가 기술이나 제도보다 선행되어야 진정 풍요로운 사회가 될 수 있지 않을까요?

님비를 핌피로!

변화하는 하수처리장과 쓰레기소각장

'Not In My Back Yard내 뒷마당에는 안 된다'를 줄인 '님비NIMBY'라는 말
은 지역 이기주의 현상을 일컫는다. 주민이나 지방자치 단체 등이
자신들의 지역에 핵폐기물처리장이나 하수종말처리장, 또는 쓰레
기매립장 같은 혐오시설이 들어오는 것을 반대하면서 사용되기 시
작했다. 반대로 'Please In My Front Yard내 앞마당에 들어와 달라'를 줄인
'핌피PIMFY'라는 말도 있다. 모두가 선호하거나 수익성이 있는 시설
을 지역에 유치하려는 현상을 가리킨다.

상반된 개념이지만, 어떻게 보면 님비와 핌피는 종이 한 장 차이
다. 혐오시설이 선호시설로 바뀌기만 하면 되기 때문이다. 그런데 혐
오시설이 선호시설로 바뀔 수 있을까? 불가능한 일이라고 생각하겠
지만 역발상으로 과학기술을 접목해 성공한 사례들이 있다. '생태체
험공원으로 변신한 하수처리장과 쓰레기매립장', '세계적인 환경 견학
코스로 거듭난 쓰레기소각장' 등이다.

오산시 누읍동 인근 매립지는 1974년부터 음식물쓰레기를 매립했던 장소다. 20여 년간 매립이 계속되다 보니, 코를 찌르는 악취와 지하수 오염 등으로 이 지역은 오래전부터 주민들의 기피대상 1호로 통했다. 엎친 데 덮친 격으로 인접한 오산동에 제2하수종말처리장이 들어선다는 계획이 발표되자 주민의 불만은 극에 달할 수밖에 없었다. 하수처리장의 악취가 만만치 않을 뿐더러, 곳곳에서 훤히 보이는 폐수 역시 보기에 좋지 않았기 때문이다.

오산시는 하수종말처리장과 쓰레기매립장을 하나로 연결하면서 그 위에 생태공원을 조성하는 역발상적 프로젝트를 주민들에게 제안했다. 지상에 건설하려던 하수종말처리장과 매립장을 지하에 만들고, 지상에는 생태공원과 체육시설을 만들자는 내용이었다. 주민의 동의를 얻은 후 8만4000여 제곱미터 규모의 하수종말처리장과 매립장 부지 위에 자연형 폭포와 생태연못을 조성하고, 농구장과 배드민턴장 등 다양한 체육시설까지 설치해 오산맑음터공원이라는

쓰레기매립장이 생태공원으로
변신한 오산맑음터공원(오산시청)

생태공원이 문을 열었다.

　오산시의 계획에 반신반의했던 주민들은 현재 가장 선호하는 장소로 오산맑음터공원을 꼽는다. 여기에 오산의 자연환경을 한눈에 관람할 수 있는 생태체험관 에코리움Echorium이 연이어 문을 열면서 주민들에게 또 다른 재미를 선사하고 있다. 물, 땅, 숲, 하늘이라는 네 가지 테마로 구성된 에코리움은 지상 4층의 전망타워와 생태학습 체험관으로 조성됐는데, 현재 경기도의 대표적인 생태학습 체험관으로 자리 잡았다.

세계적인 견학코스가 된 쓰레기소각장

하수처리장과 쓰레기매립장을 생태공원으로 바꾼 오산시처럼 일본 오사카 시는 쓰레기소각장을 세계적인 환경 견학 코스로 조성하여 전 세계의 주목을 받고 있다.

　오사카의 쓰레기소각장은 해안 부둣가 근처에 있는 마이시마라

세계적 환경 견학 코스가 된
오사카 마이시마 쓰레기소각장

는 인공섬에 설치되어 있다. 하루 평균 900톤의 쓰레기를 소각하는 장소지만, 소각장을 상징하는 매연이나 악취 같은 부정적 이미지는 전혀 찾아볼 수 없는 친환경 시설로 유명하다. 특히 친환경 첨단시설보다 더 눈에 띄는 것은 예술작품 같은 독특한 외관과 견학코스다. '금색의 탑'이라고 불리는 소각장 굴뚝을 비롯해 시설 내 정원은 유치원이나 초등학생들이 생태학습을 하거나 그리기 공부를 할 수 있을 정도로 아름답게 조성되어 있다.

님비 현상을 거의 볼 수 없는 일본이지만, 마이시마 소각장을 건립한다고 발표했을 때는 지역 주민의 만만치 않은 반대가 있었다. 시는 주민들에게 더럽고 냄새나는 소각장 이미지를 완전히 바꾸겠다고 약속했고, 실제로 세계적인 환경건축가에게 소각장 설계를 맡겨 그 약속을 지켰다.

마이시마 소각장이 예술작품과도 같은 기반시설로 거듭날 수 있었던 데에는 오스트리아의 생태미술가이자 환경건축가로 활동한 훈데르트 바서Hundert Wasser의 영향이 컸다. 그는 엔지니어가 아닌 생태미술가의 관점에서 소각장 설계를 진행했다. 오사카 역시 바서의 친환경적 설계에 걸맞은 성과를 이루어내기 위해 다양한 노력을 기울였다. 공장의 전력과 조명 등은 자체 생산한 전기로 가동했고, 소각 작업도 최대한 억제했다. 그 결과 남는 전력은 전기회사에 판매하고, 타지 않는 쓰레기는 잘게 잘라 분리한 뒤 비철금속으로 판매해 수익까지 올리고 있다.

시의 노력은 쓰레기소각장을 오사카 여행의 명소로 만들었다. 현재 마이시마 소각장은 일본 초중고생들의 환경 견학 코스와 관광지

가 되었고, 환경과 관련해 외국인들의 인기 연수 코스로도 각광을
받고 있다.

• • •

님비 현상의 대표적 국내 사례로는 방사성폐기물처리장의 결정 지연을
꼽을 수 있습니다. 언제 결정될지 모른다는 불확실성이 더 답답한 일이
죠. 그나마 희망적인 것은 방사성폐기물을 안전하게 처리할 수 있는 기
술이 꾸준히 개발되고 있다는 점입니다. 방사성폐기물처리장 같은 경우
는 첨예한 이해관계가 얽혀 있는 사안인 만큼, 결국 님비 현상은 과학기
술로 해결하는 수밖에 없지 않을까요?

약한 것도 뭉치면 단단해지고 강해진다

종이로 만든 면도기와 자전거 헬멧

'뭉치면 살고 흩어지면 죽는다'라는 말은 아무리 약한 존재라도 하나로 뭉치면 강해진다는 의미다. 맞는 말이기는 하지만 실제로 그런 존재를 찾는 것이 쉽지만은 않다. 약한 존재는 뭉쳐도 약할 때가 많기 때문이다. 그런데 종이 한 장은 어린이도 간단히 찢을 수 있을 정도로 재질이 약하지만, 과학기술이 접목되어 뭉쳐지면 강철처럼 단단한 재질로 변한다. '종이로 만든 면도기'와 '종이로 만든 헬멧'이 그런 역발상의 사례다.

수염을 깎는 종이면도기

종이면도기는 미국 샌프란시스코에서 활동하는 나딤 하이다리Nadeem Haidary라는 디자이너가 개발했다. '페이퍼컷 레이저paper cut razor'라는 이 면도기는 어떤 금속성분도 포함하지 않고 오직 종이로만 이루어진 제품이다. 페이퍼컷 레이저는 단단하고 평평한 종이판지 형태로 제작된다. 어린이가 갖고 노는 종이접기 장난감을 떠올리면 쉽게 이해할 수 있는데, 얇지만 단단한 종이판지에 만들어진 주름을 그대로 따라 접으면 면도기가 완성된다.

어떻게 종이로 면도기를 만들 생각을 했을까? 하이다리는 어느 날 실수로 종이에 손이 베인 후 아이디어를 얻었다. 그는 피부가 베일 정도로 예리한 종이의 기능적인 면을 살려보기 위해 면도기를 만들어 보았다. 매일 아침 면도를 해야 하는 습관적이고도 지루한 일상에 소소한 재미를 더해보고 싶기도 했다.

이 면도기를 사용해본 사람들은 종이에 대한 고정관념을 뒤엎는 상품이라고 평가한다. 아무리 종이가 예리해도 수염 깎을 생각까지는 못했는데, 의외로 잘 깎인다는 것이다. 또한 방수 처리가 된 종이로 만들기 때문에 물이나 면도 크림에 젖어 찢어질 염려도 없고, 100% 재활용이 가능해 환경보호 측면에서도 장점이 있다.

기존 면도기 업계는 페이퍼컷 레이저가 친환경 이미지와 쉽게 사용할 수 있는 편의성, 저렴한 비용으로 경제성까지 갖추고 있어서 사용횟수를 더 늘릴 수 있다면 기존의 일회용 면도기 시장을 충분히 위협할 만한 제품이라고 예측했다. 이에 대해 하이다리는 아직 시제품 단계여서 보완할 부분이 많다고 하면서도 친환경성과 편의

기존 면도기와 기능 차이가 별로 없는 종이면도기

성 면에서 종이면도기가 일반적으로 사용된다면 보다 많은 사람이
혜택을 누릴 것이라고 보았다.

종이로 만든 헬멧

오토바이를 탈 때 반드시 헬멧을 착용해야 하는 것처럼, 자전거를
이용할 때도 헬멧 착용이 의무화되고 있다. 이런 의무사항이 잘 지
켜지지 않는 경우가 있는데, 자전거 대여 서비스를 이용할 때다. 런
던은 공공자전거 대여 서비스가 활성화된 도시 중 하나인데, 자전
거를 탈 때 헬멧 착용이 의무화되면서 문제가 발생하기 시작했다.
우선 헬멧을 빌리는 과정이 번거롭고, 다른 사람이 썼던 헬멧을 다
시 착용하기 때문에 위생 문제가 제기됐다.

이를 고민하던 영국 디자이너 에드워드 토머스Edward Thomas는 길
거리에 나뒹구는 신문지를 보며 일회용 헬멧을 만들면 어떨까 하는
아이디어를 얻었다. 그는 버려진 신문을 모아 물에 담근 후 이를 갈
아서 종이죽 같은 펄프를 만들었다. 친환경적인 측면을 고려해 화
학 첨가제가 아니라 유기농 첨가제로 펄프가 더 잘 결합될 수 있도

에드워드 토머스가 만든 페이퍼펄프 헬멧

록 하고, 여기에 작은 구멍이 많이 뚫린 거푸집을 담근 후 진공 흡입관을 연결해 공기를 빨아들였다. 진공 흡입관을 통해 수분이 빠져나간 펄프에 헬멧 모양 거푸집을 씌웠다가 제거한 뒤 건조기에 넣고 말리자 그럴듯한 모양의 자전거 헬멧이 만들어졌다.

'페이퍼펄프 헬멧Paper Pulp Helmet'이라는 이 제품은 다소 거칠고 허술하게 보여도 충격에 잘 견디며, 몇 시간씩 비를 맞아도 괜찮을 정도로 방수기능이 뛰어나다. 일회용이라 위생적으로도 안전하고, 버려지는 신문지를 활용하는 만큼 가격도 대단히 저렴하다. 무엇보다 사용한 후에 전량 수거해 다시 새로운 헬멧으로 만들어진다는 것이 최고의 장점이라고 할 수 있다. 토머스의 말처럼 "리사이클링이 아니라 진정한 의미의 업사이클링 제품"인 것이다.

· · ·

과학기술은 때로 마술과 같은 신기한 결과를 보여줍니다. 어떻게 그 약한 종이가 면도기나 헬멧을 만드는 단단한 소재로 변신할 수 있을까요? 신기한 결과를 보여준다는 점에서는 비슷하지만, 마술은 살짝 사람의 눈을 속이는 반면에 과학기술은 사람의 눈을 뜨도록 만들어준다는 점이 다릅니다.

종이로 가구를 만든다

종이로 만든 가구와 건물

종이가 웬만한 철제가구보다 더 튼튼한 종이가구로 변신한다는 것이 사실일까? 일반적으로 알고 있는 종이의 이미지 때문에 종이로 만든 가구라고 하면 금방이라도 부서져버릴 것 같다. 그런데 그런 상식을 무너뜨리는 종이가구들이 속속 등장하고 있다. 더욱이 종이로 만든 가구는 100% 재활용이 가능하기 때문에 친환경적이고 효율적이다. 목재가구보다 가격도 저렴해서 색다르면서도 실용성을 추구하는 소비자들에게 좋은 반응을 얻고 있다.

글로벌화된 종이가구 시장

최초의 종이가구는 1972년 캐나다 건축가이자 디자이너인 프랭크 게리Frank Gehry가 만든 '이지에지Easy Edge'라는 의자다. 골판지를 여러 겹 붙여 견고하게 만든 이지에지는 많은 사람들에게 종이도 가구의 소재가 될 수 있다는 영감을 주었다. 한 가지 문제는 이 실험적 작품이 실용성과는 거리가 있다는 점이었다.

이후 글로벌 가구업체 비트라VITRA가 1992년에 선보인 '위글 사이드 체어Wiggle Side Chair'의 등장으로 본격적인 종이가구의 상용화가 시작되었다. 비트라의 종이가구가 선풍적인 인기를 끌자 다른 가구 제작사들도 뒤늦게 시장에 뛰어들어 경쟁적으로 제품을 출시하면서 종이가구는 좀 더 대중적인 시장을 형성했다. 미국의 스마트데코퍼니처Smart Deco Furniture나 호주의 카톤Karton 등이 종이가구를 만드는 대표적인 사례다.

최근에는 세계 최대의 가구 생산기업인 이케아IKEA까지 시장에 뛰어들면서 전체적인 시장 규모를 넓히고 있다. 종이가구만을 전담하는 개발조직을 별도로 운영할 정도로 시장에 대한 기대를 보이는 이케아는 오랫동안 종이가구를 연구해왔다며 방수기능을 더하거나 나무 또는 기타 재활용 소재를 덧대는 형태의 실험적 제품을 만드는 데도 집중하고 있다고 밝혔다.

종이로 만든 위글 사이드 체어

외국과 달리 우리나라 종이가구의 역사는 그리 길지 않다. 2010년대에 들어서야 하나둘 업체가 생기기 시작해 조금씩 시장규모를 넓혀가고 있다. 우리나라 종이가구 제작의 선두 기업으로 인정받고 있는 아이앤트레이드는 고가의 종이가구를 생산하는 것으로 유명하다. 아코디언 모양의 종이를 둥글게 말아서 그 위에 방석을 깐 미니걸상이나 골판지를 여러 겹 이어붙인 벤치와 소파 등이 주력 상품이다.

아이앤트레이드의 고객이 이색적인 가구 소재를 선호하는 중장년층이라면, 스타트업인 페이퍼팝Paper Pop은 20~30대 1인 가구를 주요 고객으로 삼고 있다. 2013년부터 종이가구 시장에 뛰어든 박대희 대표는 1인 가구 시장을 목표로 한 이유에 대해 "월세나 전세를 사는 1인 가구는 이사가 잦은 편인데, 그러다보니 질 좋은 가구보다는 가성비 높은 제품을 선호하는 경향이 크다."라고 설명했다. 실제로 이 회사 제품들은 1인 가구가 선호하는 가볍고 실용적인 기능을 갖추고 있다는 평가를 받는다. 사용 고객의 특성을 반영해 격

건축가 반 시게루가 설계한 종이 건축물

월에 한 번씩 신제품을 내놓고 있는데, 종이로 만든 쓰레기통처럼 일상에서 쉽게 볼 수 있는 제품들이다.

국내에서 이처럼 다양한 용도의 제품을 만들고 있는데도 종이가구가 제대로 보급되지 못하는 것은 중국산 MDF로 만든 값싼 가구들의 영향이 크다. MDF는 나무를 갈아 고온에서 접착제로 붙여 틀에 찍어내는 일종의 합판을 말한다. 중국산 MDF는 재활용이 불가능하며, 포름알데히드 등 환경호르몬을 발생시킨다는 치명적인 단점도 갖고 있다.

반면에 페이퍼팝의 종이가구는 MDF보다 저렴하면서도 친환경적이다. 페이퍼팝 제품의 주원료는 국제산림관리협의회Forest Steward-ship Council의 인증을 받은 펄프로, 난개발과 불법 벌목 등 산림자원의 무분별한 훼손을 막기 위해 만든 이 인증은 페이퍼팝 제품의 재료가 친환경으로 벌목했다는 의미다. 폐지와 동일하게 처리한다는 것도 친환경적 소재로서의 장점이다.

국내에서 종이가 건축 소재로 사용되어 전 세계 건축업계의 관심

종이가 건축 소재로 활용되는 과학적 원리

종이에 굴곡이나 주름 구조를 적용하면 재질이 약해도 큰 힘을 견딜 수 있기 때문에 책상이나 의자처럼 실생활에 필요한 물건과 구조물로 활용할 수 있다. 가장 기본적인 원리는 힘의 분산이다. 평평한 종이를 공중에 맞물린 상태에서 책과 같은 물건을 올려놓으면 중력 방향으로만 힘이 작용한다. 하지만 종이에 굴곡을 만들어 그 위에 물건을 올려놓으면, 힘이 중력 방향뿐만 아니라 굴곡 방향의 양 옆으로도 골고루 분산된다. 따라서 훨씬 더 큰 무게를 견딜 수 있는 것이다.

을 모은 적도 있다. 올림픽공원에 위치한 소마미술관에 둥근 종이 기둥Paper tube과 낡은 컨테이너박스를 쌓아 만들었던 페이퍼테이너 박물관이다. 일본 건축가 반 시게루坂茂가 설계한 이 박물관은 철골과 콘크리트, 유리 같은 기존의 건축 자재를 전혀 사용하지 않고 오로지 종이와 컨테이너만으로 건물을 지었기 때문에 많은 궁금증을 불러일으켰다.

박물관 외부를 장식한 353개의 종이기둥은 모두 방수, 방염 처리를 해 어떤 외부 환경에도 변형되지 않도록 제작되었기 때문에 파르테논 신전의 장엄하면서도 단단한 기둥을 연상시킨다는 평가를 받았다. 특히 종이박물관은 비용과 재활용이라는 측면에서 볼 때 기념비적인 성과를 거둔 건축물이라 할 수 있다. 건축비의 경우 일반 자재를 사용했을 때와 비교했을 때 5분의 1 정도였다. 또한 시멘트를 전혀 사용하지 않는 방식이었기 때문에 해체 후에도 종이기둥과 컨테이너를 다른 건축물에 사용하는 등 재활용면에서도 눈길을 끌었다.

구멍이 제품 성능을 좌우한다

만년필과 김치캔

'용을 그리고 맨 마지막 단계에 눈동자를 찍는다'는 화룡점정畵龍點睛은 가장 중요한 부분을 완벽하게 마무리해 어떤 일을 마쳤다는 의미다. 생활용품 중에도 화룡점정의 점 같은 역할을 하는 제품들이 여럿 있다. 점처럼 작은 구멍 하나가 기존 제품보다 뛰어난 기능을 갖도록 한 경우로, '펜을 만년필로 바꿔준 구멍'과 '김치도 캔에 담을 수 있도록 만든 구멍'이 그 주인공이다. 구멍에 과학기술의 원리가 적용되면서 놀라운 기능을 갖게 된 사례들이다.

만년필 구멍의 과학

펜pen이 근대적 필기구의 효시였다면 만년필fountain pen은 혁명의 필기구다. 잉크 튜브가 달린 만년필은 수시로 잉크를 찍어야 하는 번거로움에서 사람들을 해방시켰다. 과거에 비해 손글씨를 쓰는 일이 한결 줄어들었지만 만년필을 애용하는 사람들은 여전히 많은 편이다.

매력 만점인 필기구 만년필은 어떻게 만들어졌을까? 이를 알아보려면 19세기 말로 거슬러 올라가 최초로 만년필을 개발한 미국의 루이스 워터맨Lewis Edson Waterman을 만나야 한다.

원래 워터맨은 보험회사 영업사원이었다. 어느 날 고객과 거액의 보험계약을 체결하는데, 서명을 하기 위해 펜을 들었다가 잉크가 계약서에 떨어져 번지고 말았다. 고객이 불길하다며 서명을 거부했고 실랑이 끝에 결국 계약이 취소되었다. 낭패를 당한 워터맨은 다시는 이런 문제가 생기지 않도록 잉크가 떨어지지 않는 펜촉을 만들기로 했다.

당시의 펜촉 모양은 얇은 철판을 휘어지게 만든 다음 끝부분을 뾰족하게 다듬은 형태였다. 워터맨은 그런 구조의 펜으로는 잉크가 쉽게 흐르는 것을 막을 수 없다고 생각하고, 수많은 펜촉을 깎고 다듬은 끝에 오늘날의 만년필과 비슷한 형태의 펜촉을 만들었다.

만년필 펜촉을 자세히 들여다보면 가운데가 잘려 있고, 그 위로 작은 구멍이 있는 것을 알 수 있다. 잘린 틈은 중력과 모세관 현상에 따라 잉크가 흘러나오도록 하는 기능을 한다. 펜촉이 종이에 닿으면 틈이 벌어지는 폭에 따라 선의 굵기가 달라지는데, 약하게 누르면 선이 얇아지고 세게 누르면 굵어지는 것이다.

잉크의 흐름을 조절하는 만년필 펜촉의 구멍

반면에 작은 구멍은 잉크가 많이 흐르지 않도록 조절하는 역할을 한다. 만년필의 잉크 튜브는 끝이 막혀 있는 형태이기 때문에 글씨를 쓰면 잉크가 빠져나오면서 내부 기압이 달라진다. 그러면 잉크가 너무 많이 흐르거나 적게 흐를 수밖에 없다. 하지만 펜촉에 작은 구멍을 뚫어놓으면 이를 통해 잉크가 흘러나온 반대 방향으로 공기가 들어가게 된다. 잉크가 빠져나온 공간을 공기가 대신 채워 튜브 내부의 기압이 유지되면서 흘러나오는 잉크 양이 일정하게 유지되는 것이다.

워터맨은 이 형태의 펜촉에 대해 기술특허를 신청하고, 1884년에 역사적인 첫 제품을 출시했다. 제품이 폭발적으로 팔렸고 워터맨사는 20세기 들어 미국 최대의 필기구 회사로 도약했다.

구멍으로 발효가스를 배출하는 캔 김치

우리나라 가정간편식 전문업체인 테이스티나인은 캔 뚜껑에 낸 작은 구멍을 아이디어 삼아 만든 프리미엄 김치 제품으로 주목을 끌었다.

'김치나인'이라는 브랜드의 이 제품은 내용물인 김치보다 캔과 페트병이 융합된 포장용기 덕분에 프리미엄 대접을 받았다. 일반적으로

캔에 구멍을 뚫어 발효가스를 배출시키는 김치나인

김치처럼 발효가 진행되는 식품은 캔 용기에 담는 것이 불가능하다고 알려져 있다. 발효가스로 인해 용기가 팽창되고 맛의 신선도도 떨어지기 때문이다. 그런데 테이스티나인은 이 같은 문제를 해결한 '캔김치'를 해외에 선보여 인기를 끌었다. 상대적으로 진입장벽이 높은 국내에서도 프리미엄급 김치를 공급하는 회사로 인정받았다.

캔 김치의 비밀은 용기에 형성된 작은 구멍에 있었다. 뚜껑 한가운데 만들어진 지름 2밀리미터 정도의 구멍을 통해 김치에서 발생하는 가스가 배출될 수 있도록 한 것이다. 구멍 위로는 스티커를 붙여 외부에서 들어올 수 있는 박테리아나 수분 등의 침투를 막도록 했다. 발효가스는 배출하되 맛과 향에 영향을 줄 수 있는 외부 요인은 차단하도록 만든 김치전용 캔 용기인 것이다.

이 용기의 또 다른 장점으로는 디자인을 들 수 있다. 뚜껑만 캔이고 용기는 페트병으로 이루어져 비닐포장 일색인 기존 제품과 비교할 때 확실히 차별화되었다. 뿐만 아니라 캔 뚜껑을 따서 먹고 동봉된 뚜껑을 덮으면 보관까지 가능해 김치의 신선도 유지와 소포장 유통에도 안성맞춤이다.

• • •

전자제품이나 식품을 구매했을 때 뭔가 아쉬울 때가 있습니다. 소비자가 아쉽다고 느끼는 부분을 보완하려면 고도의 기술이나 많은 비용이 발생할 거라고 생각하지만 꼭 그런 것은 아니죠. 단순한 아이디어만으로도 성능을 높이는 경우가 종종 있거든요. 물론 획기적인 아이디어를 얻으려면 그 안에 숨어 있는 원리를 알아야 합니다. 그 원리를 아는 힘이 바로 과학에서 나옵니다.

첨단기술보다 적정기술이 더 필요하다

초소형 미니 세탁기와 대야 겸용 포터블 정수기

'꿩 잡는 것이 매'라는 속담은 꿩을 잡아야 매라고 할 수 있다는 말로, 어느 자리든 그에 맞는 적임자가 있고, 어떻게든 이름에 맞게 제구실을 다해야 한다는 뜻이다. 예를 들면 아무리 성능이 뛰어난 전자제품이라도 공간이 협소해 놓을 자리가 없다거나 전기가 공급되지 않는 곳이라면 무용지물이다. 오히려 적절하게 사용되는 '초소형 미니 세탁기'와 '대야 겸용 포터블 정수기'가 매 역할을 하고 있다. 최첨단 기능의 제품에 비해 성능은 뒤떨어지지만 가지고 다닐 수 있다는 장점 때문에 사람들로부터 좋은 반응을 받고 있다.

초음파로 세탁하는 휴대용 세탁기

세탁기를 놓을 자리가 없는 집에 살거나 전기가 공급되지 않는 지역을 여행하는 사람은 어떻게 세탁을 할까? 아마도 손빨래 외에는 대안이 없을 것이다. 하지만 이제는 어디에 있든 빨래 걱정을 할 필요가 없다. 독일 발명가 레나 솔리스Lena Solis가 들고 다닐 수 있는 초소형 세탁기를 개발했기 때문이다.

'돌피Dolfi'라는 이 미니 세탁기는 기존 세탁기의 고정관념을 뒤집는 역발상 제품이다. 세탁기라고 하면 우선 물을 담는 통이 있어야 하고, 빨래와 물을 회전시키는 교반기가 장착되어 있어야 한다. 하지만 돌피는 컴퓨터의 마우스나 비누로 오해받을 만큼 작은 조각 모양으로 이루어져 있다. 이렇게 작고 간단한 조각 모양 세탁기가 어떻게 빨래를 할 수 있을까?

돌피의 세탁 과정을 살펴보면 모양만큼이나 간단하게 이루어진다는 것을 알 수 있다. 먼저 세면대나 대야 등에 빨랫감을 넣고 물을 부은 뒤 세제를 넣는다. 돌피의 스위치를 켜서 물속에 넣는다. 30~40분 후에 빨래를 헹궈 널면 끝이다. 빨래를 담가두기만 하는데 과연 세탁이 될까 의구심이 들겠지만, 빨랫줄에 걸린 옷을 보면 손빨래만큼이나 깨끗하게 세탁된 것을 확인할 수 있다.

솔리스는 "돌피의 스위치를 켜면 초음파가 발생된다."라며 "초음파가 진동을 일으켜 빨랫감에 있는 얼룩과 때를 분리시키는 것"이라고 돌피의 원리를 설명했다. "세탁에 초음파를 이용하는 것이 생소한 사람들도 있겠지만, 초음파는 이미 안경 렌즈나 보석, 시계 등

초음파로 세탁하는 휴대용 세탁기 돌피

을 세척하는 데 사용되고 있다." 돌피는 이런 초음파 세척 방법을 일반 세탁에 적용한 것이다.

초음파를 사용하므로 돌피는 세척할 때 옷감을 전혀 손상시키지 않는다. 따라서 속옷이나 수영복 등 다양한 의류의 세탁이 가능하다. 충전해서 사용하는 비용이 세탁기에 비해 80배나 적기 때문에 전기요금도 많이 줄일 수 있다. 무엇보다 소음이 거의 발생하지 않는다는 장점도 갖고 있다.

부력으로 오염수를 정수한다

디자인스튜디오에서 근무하는 김우식, 최덕수 디자이너가 언제나 휴대할 수 있는 정수기를 선보여 주목을 끌고 있다. 오래전부터 저개발 국가 사람들을 위한 적정기술appropriate technology에 관심을 갖고 있던 이들은 '행복한 대야Happy Basin'라는 작품으로 서울디자인올림픽에서 시민특별상을 수상하기도 했다.

행복한 대야는 얼핏 보면 음식을 담는 접시 같기도 하고 장난감 모자 같기도 하다. 디자이너에 따르면 이런 형태는 매일 물을 구하기 위

부력현상과 나노필터를 통해
오염된 물을 정수하는
행복한 대야의 원리

해 수십 킬로미터를 걷는 저개발 국가 어린이들을 위한 디자인이다. 물가까지 가는 동안 뜨거운 햇살을 피하게 해주는 모자인 동시에 흙탕물을 여과해 깨끗한 물로 만들어주는 대야 형태의 정수기인 것이다.

모양은 단순하지만, 그 속에 숨어 있는 원리는 그리 간단치 않다. 이 대야 형태 정수기는 물에 떠야 사용할 수 있기 때문에 가장자리가 공기로 가득 차 있다. 공기로 인해 부력이 생긴 대야가 물에 둥둥 뜨면 대야 바닥에 뚫려 있는 구멍으로 오염수가 들어오는데, 이때 내부에 장착된 나노 필터를 통해 오염 물질은 정화되고 깨끗한 물만 대야에 고이게 된다.

행복한 대야는 소량의 물을 정수할 때 요긴하게 쓰일 수 있기 때문에 당장 마셔야 할 식수나 요리와 세수에 필요한 물을 얻으려는 저개발 국가 주민에게 꼭 필요한 제품이다. 적정기술 전문가들은 "저렴한 제작비용과 간단한 제작공정, 가벼운 무게와 손쉬운 사용방법 등 적정기술이 요구하는 사항이 골고루 포함된 작품"이라며 앞으로 물 부족 국가 사람들에게 큰 도움이 될 것으로 기대했다. 현재 행복한 대야는 'Happy Basin becomes a little oasis!행복한 대야는 작은 오아시스!'라는 캐치프레이즈로 제3세계 주민의 식수난 해결에 앞장서고 있다.

· · · ·

문명이 진화할수록 과학기술의 수준도 높아지기 마련이죠. 첨단기술이 발전하면 사람들은 더욱 편리하고 안전한 삶을 누릴 수 있습니다. 하지만 가난한 나라의 국민은 첨단기술보다 당장 실생활에 필요한 소박한 과학기술이 더 필요합니다. 이른바 '적정기술'로 불리는 따뜻한 과학기술에 대한 관심도 첨단기술 분야만큼이나 커지기를 바랍니다.

귀가 아니라 뺨으로도 소리를 듣는다

골전도 이어폰과 외부 소음 없는 이어폰

'재주 많은 사람이 배를 곯는다'라는 말이 있다. 다재다능해서 어떤 일이든 잘 하지만 정작 깊이 있게는 못해서 한 분야의 전문가가 되기에는 경쟁력이 부족하다는 의미다. 하지만 재주 많은 사람이 모든 분야에서 다 잘할 수도 있다. 바로 과학기술을 접목하는 것이다. 기존에 갖고 있던 장점과 과학기술을 융합하면 어떤 분야든지 최고의 프리미엄 제품이 될 수 있다. 소리를 전달하는 도구라는 이어폰의 단순한 기능에서 벗어나 '외부소리도 생생히 들을 수 있는 안전 이어폰'과 '몰입감을 높인 소음 제거 이어폰' 등 팔방미인으로 거듭난 제품들이 그런 사례다.

소리를 연골로 전달한다

이어폰은 스마트폰 사용자들을 스몸비smombie족으로 만든다. 스몸비란 스마트폰과 좀비zombie의 합성어로, 스마트폰을 들여다보며 길을 걷는 사람을 가리킨다. 전방을 주시하지 않다 보니 차와 부딪히거나 도로에서 넘어져 종종 사고가 나기도 한다. 그중에서도 이어폰을 꽂고 걷는 스마트폰 사용자들에게 더 많은 사고가 발생한다. 자동차가 울리는 경적이나 도로의 위험을 경고하는 주변사람의 소리를 들을 수 없기 때문이다.

이어폰을 만드는 대성엠텍에서는 이러한 문제에 관심을 가지고 근본적인 해결 방안을 찾다가 소리의 전달 경로를 바꿀 수 있다는 점에 생각이 미쳤다. 일반적으로 소리는 고막에서 시작해 달팽이관을 지난 다음 청각신경에 이르는 것으로 알려져 있다. 그런데 소리는 고막이 아니라 귓바퀴에 있는 연골을 통해서도 전달될 수 있다.

연구진은 이 점을 주목했다. 그들은 많은 시행착오 끝에 외부의 소리를 연골을 통해 전달시킬 수 있는 '골전도 이어폰'을 개발했다. 고막이 아닌 연골을 통해 소리가 전해지므로 위급한 상황에서 발생하는 외부 소리를 귀로 들을 수 있어 이어폰 때문에 생길 수 있는 안전 문제를 근본적으로 해결할 수 있게 되었다.

뿐만 아니라 골전도 이어폰은 청력 건강을 유지하는 데도 효과적이다. 고막을 자극하는 이어폰은 장시간 사용하면 고막의 섬모세포가 손상되어 난청을 유발할 수 있다. 하지만 골전도 이어폰은 고막

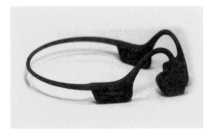

고막이 아닌 연골을 통해 소리를 전달하는
골전도 이어폰

을 거치지 않기 때문에 난청 문제가 아예 발생하지 않는다. 덕분에 음악 감상용이나 어학 공부용은 물론, 업무상 이어폰을 장시간 착용해야 하는 서비스 직군 종사자들의 청력 건강에도 크게 도움이 될 수 있다.

외부의 소음을 모두 제거하라

한편 조그만 소음조차 허용하지 않음으로써 사용자에게 '몰입감'을 주는 이어폰도 있다. 음향기기 전문기업 오르페오사운드웍스는 '인이어in ear 마이크 시스템'과 '목소리 자동인식 기술'을 통해 소음을 제거할 수 있는 이어폰을 만들었다.

인이어 마이크는 기본적으로 내장된 마이크 외에 별도로 탑재된 마이크를 가리킨다. 마이크가 이어폰 안쪽에 있어서 외부 소음은 모두 제거하고 사람의 목소리만 전달한다. 덕분에 행사장이나 클럽 등 시끄러운 곳에서 통화하더라도 상대방이 목소리를 정확하게 들을 수 있다. 소리 자동인식 기술은 사람과 음향기기의 각기 다른 소리 구조를 자동으로 인식해 상황에 맞게 소리를 제공해주는 기능도 가지고 있다.

소음제거 이어폰은 환경소음이 많은 공간에서도 최적의 음성인식을 지원하는 기술이 적용되어 있어서 공사장이나 스포츠 경기장, 비행기가 이착륙하는 공항 등에서도 주변 소음과 상관없이 통화가 가능하다. 콜센터나 콘서트장, 건설현장처럼 소음이 심한 환경에서 정보를 교환해야 하는 모든 산업군에서 소음제거 이어폰은 효과적으로 사용될 수 있다. 어떤 소음의 간섭도 없이 음악을 감상하고 싶어 하는 마니아들에게도 마찬가지다.

미세한 소음까지 제거되는 이어폰이 안전 문제에 대한 위험은 없을까? 연구진은 외부 소리를 들을 수 있는 옵션이 마련되어 있기 때문에 전혀 문제가 없다는 입장이다. 전용 앱이나 이어폰 버튼을 통해 외부 소리를 들을 수 있는 기능을 실행하면 다가오는 자동차 소리나 주변에서 말을 걸 때 문제없이 다 들을 수 있으므로 기존 커널형 이어폰의 한계를 극복한 제품이라고 강조했다.

• • •

신비로운 인체는 단순한 것 같으면서도 의외로 복잡합니다. 얼마 전까지만 해도 소리는 오직 귀를 통해서만 듣는 줄 알았죠. 하지만 골전도를 통해서도 들을 수 있다는 사실이 밝혀지면서 예전에는 생각지도 못했던 제품들이 등장하고 있습니다. 이처럼 혁신적인 제품이 개발될 수 있는 것 역시 과학기술의 발전 덕분이겠죠.

에너지가 필요하면 공을 발로 차라

전기를 만드는 축구공과 폐지로 만든 책상

너무 가난해서 등잔불조차 피울 수 없는 환경에서도 반딧불과 하얗게 빛나는 눈빛 속에 공부해 결국 성공한다는 형설지공螢雪之功이라는 고사성어가 있다. 이 말이 오늘날도 그리 낯설지 않은 이유는 아직도 지구촌의 수많은 어린이들이 어둠을 밝혀줄 전기가 없는 곳에서 살고 있어서다. 그런데 최근 들어 이런 어려움을 해결해주는 따뜻한 적정기술이 등장하고 있다. 낡은 공과 길가에 버려지는 폐지를 이용한 '전기를 만들어주는 축구공'과 '책상 겸 가방이 되어주는 폐지'가 저개발 국가의 교육환경을 개선하고 있다.

전기를 생산하는 축구공

하버드대학 학생들이 만든 언차티드플레이Uncharted Play란 사회적 기업이 있다. '미지의 놀거리'라는 이름처럼 이 기업은 기발한 상상력과 좌충우돌하는 모험심으로 저개발 국가 어린이를 위한 적정기술을 개발하고 있는데 낡은 축구공을 이용한 '사켓SOCCKET'을 출시하고부터 많은 이들의 주목을 받고 있다. 축구의 'Soccer'와 플러그를 꽂는 전기장치인 'Socket'을 합성한 사켓은 전기를 생성할 수 있는 축구공으로, 저개발 국가의 전기 부족 문제를 해결하기 위해 개발됐다.

공동창업자 제시카 매튜스Jessica Matthews와 줄리아 실버먼Julia Silverman은 과제를 하던 중에 저개발 국가 어린이의 놀이에 도움이 될 방법을 생각했다. 그들은 전 세계에 가장 널리 알려져 있고, 전 세계인이 가장 쉽게 즐기는 운동이 축구라는 점에 착안해 전기를 생성하는 축구공 아이디어를 떠올렸다. 기본적인 아이디어는 빠르게 회전하는 자기장 안에서 발생하는 전기를 모아둔다는 개념이었다. 그리고 회전력에 의한 전기 발생을 축구공에 적용하여 운동에너지를 전기에너지로 변환하게 만들었다.

그들이 공개한 축구공의 구조를 살펴보면, 공 내부에 진동을 감지하는 센서와 하이브리드형 발전 디바이스가 탑재되어 있다. 아이들이 공을 찰 때 발생하는 운동에너지가 전기에너지로 변환돼 공 안에 들어 있는 배터리에 축적되는 것이다. 축구공 겉면에 주황색으로 칠한 부분이 전기콘센트가 내장된 곳으로, 여기에 플러그를

전기를 만들어주는 축구공 사켓(Love Green)

꽂으면 모아둔 전기를 사용할 수 있다.

콘센트에 램프를 연결하면 캄캄한 밤에도 책을 읽을 수 있고, 라디오를 듣거나 식수를 살균할 수도 있다. 캄캄한 밤에 화장실 가는 것을 무서워하는 어린이들을 위해 가로등 역할도 해준다.

실버먼은 "저개발 국가 어린이들은 평지라면 어디서나 축구를 즐긴다. 30분 정도 공을 차면 3시간 동안 불을 켤 수 있는 전력이 만들어진다. 저개발 국가의 에너지 혁신을 가져올 존재가 축구공이라는 것이 흥미롭지 않은가?"라고 반문했다. 적정기술 전문가들도 아이들이 가지고 노는 축구공으로 전기를 생성하도록 한 단순한 아이디어지만, 그 결과는 실로 엄청나다고 평가했다. 이제 아이들은 등유를 구하기 위해 먼 걸음을 할 필요도 없다.

사켓은 개당 75달러에 팔리고 있는데, 현재까지 수백만 개의 공이 자선단체를 통해 저개발국가 아이들에게 전해진 것으로 알려져 있다.

들고 다니는 책상

인도의 사회적 기업 아람브Aarambh는 열악한 교실 환경을 조금이나

책상과 가방으로 변신하는 헬프데스크

마 개선하기 위해 책상과 가방을 보급하고 있다. 대부분의 저개발 국가 학생들이 책상 없는 교실에서 공부하고, 가방 대신 보자기에 책과 공책을 넣어다니고 있다. 하루 이틀이면 몰라도 2~3년 동안 책상도 없이 마룻바닥에 앉아 공부하는 것은 건강에도 좋지 않고 집중력도 떨어질 수밖에 없다.

'일개 사회적 기업이 어떻게 많은 돈이 들어가는 책상과 가방을 보급할 수 있을까?'라고 의아하게 생각할 수도 있다. 이에 대해 아람브는 폐지로 책상과 가방을 만들기 때문에 거의 비용이 들지 않는다고 밝혔다. 그냥 폐지가 아니라 폐지를 활용해 만든 두껍고 튼튼한 골판지이기 때문에 튼튼하기까지 하다.

골판지로 만든 책상과 가방은 각각의 제품이 아니라 변신할 수도 있는 하나의 제품이기도 하다. 헬프데스크Help Desk라는 이름의 이 제품은 학생들이 등하교할 때는 가방이 되었다가, 교실에서는 책상으로 변신하는 것이 특징이다. 만드는 방법도 간단하다. 어린 시절 도화지를 접어 자동차를 만들었던 것처럼, 평평한 골판지에 그려진 선을 따라 접다보면 금방 한 개의 제품이 뚝딱하고 만들어진다.

책상과 가방으로 변신하는 헬프데스크 덕분에 학생들은 더 이상 척추와 허리, 목의 통증을 겪지 않는다. 또한 책가방이 없어 손으로 책을 들거나 보자기에 싸서 다니는 일도 없게 됐다.

• • •

'가난은 나라님도 구제하지 못한다'라는 말이 있습니다. 국가도 해결하기 어려울 만큼 가난이란 문제가 어렵다는 말이죠. 하지만 적정기술이 선을 보이면서 최소한의 교육과 생활, 의식주 같은 근본적 문제들이 도움을

받게 되었습니다. 첨단기술도 발전해야 하지만, 따뜻한 과학기술 역시
함께 성장해야 건강한 지구촌이 되지 않을까요.

아이디어

Part 3

실수에서 깨닫는
역발상의 과학

실수는 발견의 시작이다.
제임스 조이스(James Joyce) _ 소설가

실수는 발명의 어머니

자동차 안전유리와 아이보리 비누

'필요는 발명의 어머니'라는 격언이 있다. 무엇인가 절실히 필요하거나 불편한 점을 보완해야 할 때 발명을 통해 이를 해결하게 된다는 의미다. 그런데 과학기술 분야에서는 '필요'만이 아니라 '실수'도 발명의 어머니가 된다. '깨져도 튀지 않는 자동차 유리'와 '물에 뜨는 아이보리 비누'는 의도치 않았던 실수가 실패로 끝나지 않고 성공으로 이어진 역발상의 결과물이다.

고양이의 실수로 만들어진 안전유리

19세기 말 프랑스 과학자 에두아르 베네딕투스Edouard Benedictus가 신문을 읽다가 자동차 사고 관련 기사를 한참 들여다보았다. 부상자 대부분이 차량 충돌의 충격보다는, 부서진 유리창에 찔리거나 상처를 입은 경우가 훨씬 많다는 안타까운 내용이었다. 안전한 유리를 만들면 자동차 사고로 인한 부상을 줄일 수 있겠다는 생각으로 그는 그날부터 셀룰로이드를 이용한 안전유리 발명에 심혈을 기울이기 시작했다.

하지만 오랫동안 안전유리 개발은 진척이 없었다. 낙심한 베네딕투스가 안전유리 개발을 포기하고 다른 연구를 시작할 무렵에 우연치 않은 사고가 발생했다. 실험실에 고양이 한 마리가 들어와 휘젓고 다니다가, 선반 위에 있던 실험용 유리병 플라스크를 건드려 떨어뜨린 것이다. 난장판이 된 실험실 바닥을 정리하던 그의 눈에 상식적으로 이해가 되지 않는 상황이 보였다. 완전히 박살난 플라스크들 중에 금이 간 상태로 온전한 모습인 플라스크가 있었던 것이다.

뜻밖의 상황에 베네딕투스는 플라스크를 살펴보았다. 그 플라스크에는 오래전에 담아둔 셀룰로이드 용액이 말라붙어 있었는데, 이 용액이 마르면서 막을 형성하고 있었다. 이 막이 유리조각을 붙잡아 플라스크가 박살나지 않았다는 사실을 직감한 그는 즉시 셀룰로이드를 이용한 안전유리 개발에 들어갔다.

시행착오 끝에 그는 1909년 깨지지 않는 유리에 대한 특허를 제출했다. 2년 뒤인 1911년, 마침내 두 장의 유리 사이에 셀룰로이드 막을 끼워넣은 최초의 안전유리 트리플렉스Triplex가 출시됐다.

고양이의 실수를 통해 탄생한 안전유리는 오늘날 자동차 산업의

셀룰로이드 막을 끼워넣어
충격에도 깨지지 않고 금만 가는 안전유리

발전에 큰 기여를 했다. 안전유리가 개발되지 않았다면, 자동차의 유리창은 지금도 여전히 흉기나 다름없었을 것이다.

직원의 실수로 만들어진 물에 뜨는 비누

물에 뜨는 아이보리Ivory 비누도 실수가 발명품으로 이어진 역발상 사례다. 아이보리 비누는 세계 최대의 생활용품 회사인 P&G의 대표 제품으로, 오늘날의 P&G를 만든 일등공신이라 해도 과언이 아닐 만큼 기업 발전에 막대한 기여를 했다.

아이보리 비누가 그처럼 엄청난 인기를 기록한 까닭은 바로 물에 뜨는 특징 때문이다. 기존에 사용하던 비누는 무게가 무거워서 강이나 호수에서 목욕을 하다가 빠뜨리면 대부분 잃어버릴 수밖에 없었다. 하지만 아이보리 비누는 물에 뜨기 때문에 그럴 염려가 아예 사라지게 됐다. 그런데 놀랍게도 아이보리 비누는 처음부터 물에 뜨는 제품으로 개발된 것이 아니었다.

1881년 P&G에서 비누 생산업무를 맡고 있던 한 직원이 규정된 시간을 초과해 제조설비를 가동하는 바람에 공기층이 많이 들어간

직원의 실수로 만들어진 물에 뜨는 아이보리 비누

불량 비누가 만들어지게 됐다. 비누 내부에 공기층이 형성되어 물에 둥둥 뜨는 비누가 대량으로 만들어지면서 회사는 큰 손실을 입게 되었고, 실수를 한 직원은 책임을 진다며 사표를 제출했다.

그런데 공동창업자 중 한 명이던 윌리엄 프록터William Procter 대표가 관용을 베풀어 사표를 반려했다. 그리고 실수를 전화위복의 기회로 삼고자 직원들과 함께 잘못 만들어진 비누의 활용 방안을 논의했다.

회의 중에 프록터의 머릿속으로 전광석화처럼 아이디어가 떠올랐다. 강이나 호수 같은 곳에서 목욕할 때는 물에 뜨는 비누가 분실 위험도 없이 더 좋을 것 같다는 생각이었다. 1882년에 아이보리가 출시되자 예상치 못한 반응이 나타났다. 실수로 쌓여 있던 재고를 해결하기 위해 제품화한 물에 뜨는 비누가 그야말로 대박을 친 것이다.

아이보리 비누 덕분에 회사는 큰 이익을 보았고, 지금까지도 아이보리는 전 세계인의 사랑을 받고 있다. 직원의 실수로 탄생했지만, 역발상 아이디어를 통해 세상에 없던 신개념 비누가 빛을 보게 된 것이다.

· · ·

사람은 누구나 한 번쯤 큰 실수를 합니다. 그 결과는 대부분 두 가지로 나뉘지죠. 한 쪽은 실수를 실패로 여겨버리고, 다른 한 쪽은 실수를 통해 배우며 전화위복의 계기로 삼습니다. 실수가 전화위복의 계기가 되기를 원한다면 지금부터라도 발상을 전환하는 연습을 해보세요. 혹시 예기치 않은 실수를 하더라도 자동차 안전유리나 아이보리 비누의 발명 같은 뜻밖의 기회가 찾아올 수도 있지 않겠어요?

뒷걸음치던 소가 쥐를 잡는다

전자레인지와 감미료 사카린

우연히 발생한 어떤 사건이 예상치 못한 행운으로 이어진다는 의미의 '소 뒷걸음질 치다가 쥐 잡는다'라는 속담이 있다. 이런 경우는 우연히 발생한 사건이 위대한 발명으로 이어지는 과학기술 분야에서 흔히 접하는 일이다. 실험 중에 사탕이 녹아내린 것이 전자레인지의 등장으로 이어졌고, 샌드위치의 어떤 부분이 유난히 달게 느껴진 해프닝이 인공감미료 사카린의 탄생으로 이어졌다.

사탕을 녹이는 현상에서 착안한 전자레인지

1946년 미국 보스턴의 한 음식점이 아침부터 사람들로 붐볐다. 음식점 사장이 불꽃 없는 조리기구를 사용해 지금까지는 볼 수 없던 색다른 요리를 제공하겠다고 밝혔기 때문이다. 기다림 끝에 음식이 나오자 손님들은 웅성거렸다. 불을 사용하지 않았는데도 음식은 모락모락 김을 내며 먹음직스럽게 보였다. 사장은 맛있는 냄새가 나는 음식을 일일이 손님들의 코에 갖다대며 말했다. "마술이 아니라 과학으로 이 음식을 만들었습니다. 그 정체는 바로 마이크로파입니다." 전자레인지 발명과 관련된 이 일화는 전자레인지로 조리한 음식을 판매한 최초의 기록이기도 하다. 당시에는 마술과도 같았던 조리도구를 발명한 사람은 바로 미국의 과학자 퍼시 스펜서Percy Spencer다.

가난 때문에 불우한 어린 시절을 보냈던 스펜서는 스물다섯 살에 인생을 바꿔버린 회사와 운명같이 만났다. 당시 레이더 장비를 개발하던 회사 레이시언의 보조 연구원으로 취직한 것이다. 그는 입사 후 얼마 지나지 않아 책임연구원으로 승진할 만큼 능력을 인정받았다. 어느 날 마이크로파를 발생시키는 데 쓰이는 원통형 관인 마그네트론magnetron 연구에 몰두하다가 그는 예상 밖의 일을 경험했다.

그날 스펜서의 호주머니에 사탕이 하나 들어 있었는데, 실험이 끝난 후 보니 주머니의 사탕이 녹아 끈적한 액체로 변해 있었다. 주위를 아무리 살펴봐도 사탕을 녹일 만큼 뜨거운 열은 찾을 수 없었다. 그는 혹시나 하는 생각에 옥수수 알갱이를 주머니에 넣고 실험을 다시 진행했다. 잠시 후 주머니를 열어본 그의 눈이 휘둥그레졌다. 옥수수가 팝콘이 되어 있었다. 마이크로파의 영향으로 이런 일

초창기에 만들어진 전자레인지

이 일어났다고 판단한 그는 마이크로파를 일으키는 장치를 제작해 본격적으로 연구를 시작했다.

스펜서가 제작한 장치에 음식을 담은 그릇을 넣어 작동시키자, 가열하지 않았는데도 음식이 따뜻하게 데워지고 심지어 끓기까지 했다. 그의 발명품을 지켜본 회사 경영진은 1945년에 특허를 등록하고 곧바로 전자레인지 생산에 들어갔다. 처음 출시된 전자레인지는 높이 1.8미터에 무게가 340킬로그램으로, 지금의 제품과 비교하면 엄청나게 컸다. 하지만 무엇보다 냉동식품을 빨리 녹일 수 있다는 장점 때문에 출시된 지 얼마 지나지 않아 레스토랑과 항공사 등을 중심으로 날개 돋친 듯 팔려나갔다. 7년 후인 1952년에는 가정용으로도 생산되었고, 1970년대는 어느 집에나 하나씩 있는 필수품이 되었다.

재미있는 점은 개발 초기만 해도 스펜서를 비롯한 레이시온의 연구진 대부분이 어떤 원리로 전자레인지가 음식물을 데우는지 정확히 알지 못했다는 것이다. 다만 마그네트론에서 발생되는 마이크로파가 어떠한 이유에서인지 음식물 속 수분의 온도를 증가시킨다는 점을 어렴풋이 파악한 정도였다.

그 후 과학자들의 노력으로 전자레인지의 원리가 밝혀졌다. 마이크로파가 열을 전달하는 것이 아니라 음식물 안에 들어 있는 물분자를 마이크로파가 움직이게 만들어 운동에너지가 열에너지로 변환되면서 열이 발생한다는 사실을 규명한 것이다.

인공감미료로 유명한 사카린 또한 무심코 맛본 샌드위치의 단맛에서 탄생했다. 독일 유기화학자 콘스탄틴 팔베르크Constantin Fahlberg는 1879년에 미국으로 건너가 존스홉킨스대학에서 연구할 수 있는 기회를 얻었다. 어느 날 실험을 마치고 식당에서 샌드위치를 먹던 그는 손가락으로 집은 부분을 먹을 때 단맛이 너무 강하다는 느낌을 받았다. 오른손 손가락이 닿은 부분을 먹기 전에는 달다는 느낌이 없었기 때문에 그는 이상하다고 여겼다. 왼손 손가락이 닿은 부분을 먹어 보았는데, 역시 단맛이 확연하게 느껴졌다.

그 순간 팔베르크는 자신이 실험하던 연구실의 어딘가에 단맛의 원인이 있을 것이라는 생각이 들었다. 연구실에 돌아온 그는 단맛을 내는 시약을 찾기 위해 탁자 위에 널려 있던 시료들을 당도측정기로 검사하기 시작했고, 마침내 설탕의 당도보다 무려 수백 배나 높은 물질을 발견했다. 바로 톨루엔toluene이었다.

당시 그는 톨루엔 유도체의 산화에 대하여 연구를 하고 있었는데, 이 화합물이 우연히 손끝에 묻었다가 샌드위치에 닿으면서 단

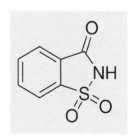

최고의 감미료로 인정받고 있는 사카린의 화학구조식

맛을 낸 것이었다. 그 후 팔베르크는 톨루엔을 원료로 복잡한 화학 반응을 거치면서 인공감미료를 합성하는 데 성공했다. 그리고 이 물질에 라틴어로 설탕을 뜻하는 단어 사카룸saccarum을 인용하여 사카린이라고 이름 붙였다.

사카린은 열에 강하고 물에 잘 녹아 최고의 식품첨가물로 인정받고 있다. 설탕에 비해 300배 이상 달지만 감미도 기준으로 설탕 가격의 30분의 1에 불과해 경제성도 매우 높다. 특히 칼로리가 0이고 혈당지수도 0이기 때문에 당뇨 환자나 비만인 사람들에게는 최적의 감미료로 여겨지고 있다.

· · ·

실험실에서 자라는 푸른곰팡이로부터 항생제 페니실린이 만들어졌다는 사실은 이미 널리 알려진 사례입니다. 보통 사람들은 무심코 넘어갔을 사건이나 사고도 과학자의 눈에는 흥미와 관심의 대상이 됩니다. 과학자는 아니더라도 주위에서 일어나는 사건을 유심히 관찰해보면 어떨까요?

때때로 하찮은 것이 세상을 바꾼다

일회용 종이컵과 일회용 반창고

'하찮은 것이 세상을 바꾼다'라는 말처럼 처음 등장할 때는 대수롭지 않았던 것이 시간이 지날수록 영향력을 미칠 때가 있다. 일회용 종이컵과 일회용 반창고 같은 제품도 그렇다. 한 번 사용하고 버리는 하찮은 물건이지만, 이 제품이 없는 세상은 상상도 할 수 없을 정도다. 전 세계 모든 사람이 사용하는 종이컵과 반창고는 단순한 목적과 계기로 탄생했다.

위생에 초점이 맞춰졌던 종이컵

커피는 원래 의자에 앉아 풍미를 즐기며 차분하게 마셔야 제대로 마셨다는 평가를 받는 기호품이다. 그런 커피 문화가 들고 다니며 마실 수 있도록 변한 데는 종이컵 탄생이 가장 큰 기여를 했다. 가볍고 떨어뜨려도 깨질 위험이 없어서 들고 다니기에 그만이었기 때문이다. 그런데 사실 종이컵은 '운반'보다는 '위생'에 초점이 맞춰져 개발됐다. 이런 사실을 아는 사람은 많지 않다.

1900년대 초에 종이컵을 개발한 휴 무어Hugh Moore는 당시 하버드 대학 학생이었다. 그는 생수자판기 사업을 하는 친구를 도울 방법을 찾느라 고민하고 있었다. 초기만 해도 고객의 주문이 많았던 친구의 사업은 점차 매출이 줄어들고 있었다. 원인은 사용하는 유리잔에 있었다. 여러 사람이 사용하다보니 위생에 문제가 있다는 불만이 생기며 생수자판기 사용을 꺼리기 시작한 것이다. 깨지기 쉬운 유리잔 역시 문제였다.

　이를 안타까워하던 무어는 깨지지 않으면서도 위생적인 컵을 찾기 위해 고민하다가 종이로 만들면 어떨까 하는 아이디어를 떠올렸다. 무엇보다 종이는 저렴하기 때문에 위생적인 일회용 컵을 대량 생산할 수 있고 깨지지도 않아 안전하다고 생각한 것이다.

　물에 젖는 문제만 해결하면 가능하다고 생각한 그는 곧바로 물에 젖지 않는 종이를 찾아 도시 전체를 샅샅이 뒤지기 시작했다. 그러나 그런 종이를 구할 수는 없었다. 젖지 않는 종이를 찾는 데 실패한 무어는 직접 개발하기로 마음먹었다. 온갖 종류의 종이를 물에 담가 보는 실험을 진행하던 어느 날 종이를 왁스로 코팅하면 물에 잘 젖지 않는다는 것을 알게 된 무어는 그 길로 왁스 코팅한 종이

처음에는 위생적인 문제로 만들어졌던 종이컵

소재로 컵을 만들어 특허를 등록했다.

종이컵이 발명됐다는 소식이 알려지자 무어에게 도움의 손길이 찾아들었다. 당시로서는 막대한 금액이었던 20만 달러 규모의 투자자가 나타나 그는 종이컵 회사를 세울 수 있었다. 행운은 이것으로 끝나지 않았다. 때마침 미국 민간 보건연구소에서 '인간을 전염병으로부터 구하는 길은 오직 일회용 컵을 사용하는 것뿐이다'라는 보고서가 발표됐다. 덕분에 종이컵은 기하급수적으로 매출이 늘었고, 오늘날은 전 세계에서 널리 사용되는 필수품으로 자리를 잡았다.

덜렁거리는 아내를 위해 만든 일회용 반창고

종이컵이 선을 보였을 무렵 또 다른 일회용품인 일회용 반창고가 세상의 빛을 보기 위해 준비하고 있었다.

글로벌 제약기업으로 유명한 존슨앤존슨에서 거즈와 탈지면 영업을 담당하던 얼 딕슨Earle Dickson이 일회용 반창고를 만들었는데, 이는 순전히 아내의 덜렁대는 버릇 때문이었다. 그의 아내는 주방에서 일을 하다가 식칼에 손을 베이거나 뜨거운 냄비에 손을 데는

자주 다치는 아내를 위해 만든 일회용 반창고

경우가 많았다. 그럴 때마다 거즈를 붙이고 반창고를 붙여줬는데, 어느 날 그가 출장을 가게 되었다. 그가 없을 때 아내가 혼자서 거즈와 반창고를 붙이는 건 어려운 일이었다.

걱정을 하던 그는 매번 거즈를 자르고 반창고를 붙일 필요가 없는 일회용 반창고를 떠올렸다. 거즈와 탈지면 등을 제조하는 회사 직원이었던 만큼, 그는 자신의 아이디어를 능숙하게 구체화시켰다. 우선 반창고를 적당한 크기로 자른 다음 가운데에 거즈를 붙였다. 반창고의 끈끈한 부분을 어떻게 처리해야 하느냐가 숙제로 남았다. 그는 나일론과 비슷한 천인 크리놀린crinoline으로 이 문제를 완벽하게 해결했다. 평소에는 접착된 형태로 있다가 필요할 때 크리놀린을 쉽게 떼내 사용할 수 있는 일회용 반창고를 만든 것이다.

아내를 위해 만든 변형된 반창고였지만, 우연한 기회에 회사 경영진에 알려지면서 제품화가 되었다. 그의 일회용 반창고는 존슨앤존슨을 글로벌기업으로 만드는 데 큰 기여를 했고, 그들의 제품은 밴드의 대명사가 되었다.

· · · ·

처음부터 세간의 관심을 받으며 화려하게 탄생한 제품은 많지 않습니다. 소박한 목적으로 탄생했다가 주변 사람들에게 입소문으로 전해져 대박 상품이 되는 경우가 훨씬 많죠. 이러한 제품들 대부분은 과학기술의 도움을 받아 더욱 인기를 끌게 되었습니다. 세상에는 꼭 필요하지만 기술이 뒷받침되지 못해 태어나지 못하거나, 기술은 있어도 별 필요가 없어 사라지는 제품들도 많습니다. 필요성과 과학기술이라는 조건이 제대로 충족되어야 하는 거죠.

실수가 성공한 비즈니스를 만든다

한글 인터넷 주소와 드라이클리닝

핀란드 사람들은 10월 13일 '실수와 실패의 날'이라는 특별한 하루를 보낸다. 지난 1년간 자신이 저지른 실수나 실패한 사례를 다른 사람들과 공유하여, 다시는 반복하지 않도록 반전의 기회로 삼으라는 취지의 기념일이다. 대부분의 사람들은 실수를 하면 이를 사소하게 여기고 그냥 지나쳐버리거나 자신을 탓하며 잊어버리려고 한다. 하지만 실수를 놓치지 않고 그 안에서 새로운 가치를 발견함으로써 성공의 길을 걸은 사례들이 있다. '한글 인터넷 주소'와 '드라이클리닝'도 하찮은 실수가 뜻밖의 비즈니스로 이어진 결과물이다.

의미 없는 영문 철자가 새로운 비즈니스로

키보드로 한글을 입력할 때 영문 모드로 되어 있으면, 영어 철자들이 화면에 나타난다. 이 경우 사람들은 입력된 글자를 지우고 한글 모드로 바꿔서 작업을 한다. 그런데 우리나라의 한 벤처기업이 이러한 상황을 새로운 인터넷 비즈니스로 연결하는 역발상적 아이디어를 생각해냈다. 의미 없는 영문 철자를 한글 인터넷 주소로 바꾸는 사업을 시작한 것이다.

아이디어의 주인공은 인터넷 전문기업인 넷피아Netpia다. 이 회사가 개발한 한글 인터넷 주소는 의미 없는 영어 철자를 인터넷 주소로 등록하고, 실제로 주소를 칠 때는 영문이 아닌 한글을 사용하도록 만든 시스템이다. 예를 들어 '과학세상'이란 이름으로 인터넷의 .com 주소를 등록하고 싶은데 이미 scienceworld.com이란 주소가 등록되어 있을 때, '과학세상'을 영문 모드에서 입력한 'rhkgkrtptkd'으로 '.com' 주소를 등록하는 것이다. 그러면 국제 인터넷주소 관리 기구인 ICANN에는 'tkdldjstmxkdlawm.com'으로 등록되지만, 사용자가 주소창에서 '과학세상.com'을 치면 한글로 된 주소처럼 활용할 수 있게 된다.

이 같은 방법을 비즈니스로 연결하게 된 계기에 대해 넷피아에서는 두 가지 이유를 들었다. 우선 이미 한글 인터넷 주소 체계가 존재하고 있지만, 국제적으로 통용되려면 상당한 시간이 필요하다는 점이다. 인터넷 주소를 .com이나 .net 같은 영문명이 아닌 '.한국'

한글 인터넷 주소의 사례 중 하나인
대한민국 국회

과 같은 형태로 표기하려는 움직임은 영문 도메인에 불편을 느낀 비영어권 국가들을 중심으로 1990년대 후반부터 꾸준히 논의되기 시작했다. 이 같은 시도가 인터넷 체계의 혼란을 가져올 것이라는 미국과 ICANN의 입장과 인터넷 상용의 세계화를 이루기 위해서는 다국어 도메인 체제의 도입이 시급하다는 비영어권 국가의 의견이 팽팽하게 맞서다 결국 2009년에 한글 인터넷 주소 체계가 승인되었다.

그 결과 2011년부터 일반인을 대상으로 '한글.한국' 형식의 한글 도메인 등록이 서비스되고 있다. 예를 들어 인터넷 주소창에 '국회.한국'을 입력하면, 대한민국 국회 홈페이지로 연결된다. 하지만 언급한 것처럼 이 같은 한글 인터넷 주소 체계는 활성화되기까지 너무 오랜 시간이 걸린다는 단점이 있다. 특히 한글로 되어 있기 때문에 해외 사이트의 경우는 적용하기 어렵다는 점도 걸림돌로 작용하고 있다.

또 다른 계기는 .com이나 .net을 활용하는 주소에서 자신이 원하는 이름을 등록하기 어려워졌다는 점이다. 어지간한 이름은 거의 등록이 되어 있는 상태라, 인터넷 후발 주자인 우리나라 입장에서는 새로운 방식으로 이름을 부여하는 것이 필요했다.

기억하기 힘든 영문이 아니라 한글로 인터넷 주소를 찾아갈 수 있는 이 시스템을 통해 우리는 인터넷 주소의 한글화 촉진이라는 성과까지 거둘 수 있게 되었다.

드라이클리닝도 19세기 세탁 산업의 새로운 시장을 연 비즈니스다. 물이 아니라 화학 용액으로 옷감에 붙은 먼지나 때를 빼는 드라이클리닝은 건식乾式 세탁이라고도 불리는데, 이 세탁 방법 역시 사소한 실수로 탄생했다.

19세기 중반 프랑스의 한 염색 공장에서 청소를 하던 중에 실수로 염색 작업을 하는 테이블에 등유 램프가 넘어졌다. 램프에 있던 등유는 바로 테이블보로 쏟아졌다. 원래 흰색이었던 테이블보는 염색 작업 때문에 얼룩지고 때가 묻어 있었다. 그런데 희한하게도 등유가 묻은 자리만 하얀색으로 변해 있었다.

테이블보가 깨끗해지는 것을 본 공장 대표 장 밥티스트 졸리Jean Baptiste Jolly는 세탁법에 활용하면 좋겠다는 생각을 했다. 연구를 시작한 지 얼마 후 그는 등유의 일부 성분이 건조하면서 직물에 묻어 있는 얼룩들을 없앤다는 사실을 발견했다. 현대인의 세탁법이라고 불리는 드라이클리닝이 탄생하는 순간이었다.

초기 드라이클리닝의 경우에는 작업 도중에 화재나 대형 폭발 사

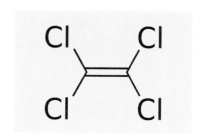

드라이클리닝에 들어가는
퍼클로로에틸렌의 화학구조식

고가 자주 발생했다. 세탁을 할 때 사용하는 등유나 휘발유 등이 인화점 높은 물질이었기 때문이다. 사람들은 인화점이 낮으면서도 세척력이 좋은 용액을 찾기 시작했고, 1930년대 퍼클로로에틸렌Perchloroethylene이라는 합성 화합물이 드라이클리닝에 최적의 용액임을 알게 되었다. 이 화합물은 인화점이 낮아 화재 위험도 낮고, 강한 세척력과 함께 옷감을 부드럽게 하는 성질을 지녀 드라이클리닝 시장이 급성장하게 되었다.

• • •

모든 실수가 비즈니스로 성공하지는 않죠. 사실 그렇게 될 확률은 굉장히 희박해요. 그런데도 성공하는 비즈니스가 계속 등장하고 있는 것은 과학기술의 뒷받침 때문입니다.

반대로 감고 거꾸로 접는다

반대로 감은 용수철과 거꾸로 접는 우산

"모두가 '예'라고 말할 때, '아니오'라고 말하겠습니다." 한번쯤 들어봤음직한 광고 문구다. 수많은 패러디까지 낳았던 이 문구의 메시지는 분명하다. 매사에 '당연하다'라고 여겨지는 규칙과 관행이라는 고정관념을 탈피해 한 번쯤은 의문을 가지는 자세가 필요하다는 것이다. 모든 사람이 당연한 것이라고 여겨온 기존의 제조법을 다른 시각으로 재해석해 새로운 제품으로 거듭난 '반대로 감는 용수철'과 '거꾸로 접는 우산'도 이런 고정관념에서 벗어나 얻은 역발상의 결과물이다.

반대로 감으면 물성이 달라지는 용수철

용수철하면 떠오르는 물성은 무엇일까? 누르면 누를수록 튀어오르는 탄성elasticity이나 잡아당겨지는 힘인 장력tension일 것이다. 만약이러한 용수철의 물성을 바꾸고 싶다면 어떻게 해야 할까? 소재를 교체하거나 제조과정에 변화를 주는 것도 하나의 방법이겠지만, 그보다 훨씬 간단한 방법이 있다. 바로 용수철의 방향을 반대로 감는 것이다.

속임수도 아니고, 오른쪽 방향으로 감겨진 용수철을 단지 왼쪽으로 감는다고 물성이 달라질 수 있을까? 믿기 어려운 일이지만 사실이다. 한국과학기술연구원KIST은 이 같은 기술을 통해 상당한 금액의 기술료까지 받았다.

이 만화 같은 사례의 주인공은 KIST 기능금속연구센터의 지광구 박사다. 그는 우연한 기회에 용수철이 감겨 있던 방향을 반대로 하면 물성이 달라진다는 사실을 발견했다. 누구나 한번쯤은 어렸을 때 해보았을 이런 장난이 용수철의 물성을 획기적으로 향상시킬 수 있으리라고 생각한 사람은 여태 없었다.

그가 밝힌 기술의 원리는 의외로 간단하다. 일반적으로 용수철은 양쪽으로 잡아당길 때 늘어나는 길이에 따라 당기는 힘도 비례한다. 많이 늘어날수록 수축하려는 힘도 그만큼 커지게 되는 것이다.

하지만 산업계에서 요구하는 용수철은 이런 일반적인 물성이 아니다. 같은 크기와 같은 모양의 용수철이라도 수축력이 더 커야 하는 등 특별한 물성이 필요하다. 이 같은 문제를 해결하기 위해 과학

용수철의 회전 방향을 반대로 하면 물성이 달라진다.

자들은 용수철 소재의 재질이나 탄성력 조절 방법에서 답을 찾고자 노력했다. 그런데 지광구 박사는 발상을 전환해 용수철을 반대로 되감아봤다. 그 결과 반대로 다시 감은 용수철은 변위變位 크기와 상관없이 완전히 수축된 상태에서도 상당한 힘을 발휘한다는 사실을 확인할 수 있었다.

그렇다면 이런 물성의 변화는 어떤 장점을 제공할까? 예전에는 용수철이 더 큰 힘을 내려면 길이를 늘여야만 했다. 하지만 '거꾸로 용수철'은 그럴 필요가 없다. 늘일 필요가 없다는 것은 늘어날 공간도 필요 없다는 의미다. 반대로 기존 용수철과 같은 힘을 내고 싶다면, 거꾸로 용수철은 그만큼 작게 만들 수 있다. 전문가에 따르면 생산 공정이나 엔지니어링 현장에서 이 같은 부품 물성의 변화는 엄청난 부가가치를 가져올 수 있다.

지광구 박사는 거꾸로 제작된 용수철은 교정용이나 수술용 기구, 치열교정기 등에 응용할 수 있고, 특히 치열교정기의 경우에는 교정 중간에 용수철이 약해져 매번 조여줘야 하는 불편함을 해소할 수 있어서 치료기간을 크게 단축할 수 있을 것이라고 밝혔다.

접는 방향이 반대인 카즈브렐라 우산

반대로 접히는 우산

기존 우산의 불편함을 덜어낸 반대로 접는 우산도 있다. 카즈브렐라 Kazbrella라는 우산은 영국 디자이너이자 발명가 제난 카짐Jenan Kazim 이 개발했는데, 비바람이 거센 영국의 지역적 특성과 문화를 반영 해 기존 우산과는 반대 방향으로 접을 수 있게 개발되었다.

이 우산의 특징은 접으면 비에 젖은 면이 안쪽으로 들어가고 젖 지 않은 면이 바깥으로 나온다는 것이다. 비를 맞는 바깥 부분이 그 대로 접히는 일반적인 우산과 달리, 이 우산은 이중 우산살 장치를 사용해 접었을 때 비를 맞는 부분이 안쪽으로 접히도록 설계됐다. 기존의 우산은 아무리 털더라도 실내로 들어오면 바닥에 빗물이 떨 어질 수밖에 없다. 하지만 카즈브렐라는 기존 우산과 반대로 펴지 고 접을 수 있기 때문에 빗물이 그대로 우산에 고여 바닥을 물바다 로 만들 일이 없다.

비가 오는 날 차를 타거나 내릴 때 기존 우산을 쓰면 제대로 펴거 나 접을 수 없어서 잠시 동안은 비를 맞을 수밖에 없다. 하지만 카 즈브렐라는 차 문을 조금만 열어도 문틈으로 펴고 접을 수 있어서 젖는 일을 최소화할 수 있다.

또한 이중 우산살 장치를 사용하면 일반 우산에 비해 구조 자체 가 튼튼해진다. 아무리 바람이 강하게 불어도 다른 우산에 비해 잘 견딜 수 있다. 우산이 뒤집어진다고 해도 걱정할 필요가 없다. 우산 살을 살짝 내렸다가 다시 올리면 빠르게 원형복구가 가능하다.

대부분의 사람들과 반대로 하거나 거꾸로 하는 것이 쉽지만은 않습니다. 어떤 경우든 소수가 다수의 생각을 능가하기는 쉽지 않기 때문이죠. 물론 많은 사람들의 방법이 옳을 때가 많지만, 항상 그런 것은 아닙니다. 때로는 반대로 하고 거꾸로 하는 용기도 필요하죠. 탄탄한 지식과 다양한 경험을 갖고 있다면 없던 용기도 생겨나지 않을까요?

사(死)각 지대 없애니 생(生)각 지대 생겼다

360도 스피커와 양면 선풍기

'등잔 밑이 어둡다'라는 속담이 있다. 가까이에 있는데도 제대로 알아보지 못할 때 자주 사용하는 말로, 일종의 '사각지대死角地帶'라고도 할 수 있다. 사각지대란 보는 사람의 위치나 각도에 따라 특정 사물이 보이지 않는 일정 구역을 말하는데, 우리가 흔히 사용하는 가전제품들 중에도 이런 사각지대가 존재한다. 예를 들면, 소리를 제대로 들을 수 없는 스피커 뒷면이나 180도가 회전의 한계인 선풍기의 나머지 구간이 대표적인 사각지대다. 그런데 그런 사각지대를 없앤 가전제품들이 속속 등장하고 있다. 무지향성 스피커나 360도 선풍기 등은 버릴 수밖에 없는 '사死각지대'를 유용하게 활용할 수 있는 '생生각지대'로 만든 역발상 제품들이다.

음의 지향성을 없애버린 스피커

일반적으로 소리는 정해진 방향으로 나가려는 지향성을 갖고 있다. 따라서 오디오의 경우 스피커 앞쪽에 있는 사람은 옆이나 뒤에 앉은 사람보다 또렷한 소리를 들을 수 있다. 물론 모든 소리가 일률적으로 지향성을 갖는 것은 아니다.

중저음역대 소리의 경우는 스피커가 아닌 몸체를 통해서도 방출된다. 주파수 대역이 낮아서 몸체를 쉽게 통과할 수 있기 때문이다. 스피커를 막아도 중저음역대 소리는 거의 대부분 방출된다. 아파트에서는 오디오 소리 때문에 시끄럽다고 아래층에서 항의를 할 때가 종종 있다. 이는 소리가 바닥으로도 전달되기 때문이다. 중저음역대 소리의 방출에 따른 결과인 것이다.

반면에 고음역대 소리는 주파수 대역이 높아서 직진성이 강하기 때문에 스피커를 통해서만 나오게 된다. 명품 오디오를 선호하는 소비자들이 음악 감상을 할 때 이상적인 청취지점, 즉 스위트스팟 sweet spot을 만들려고 애쓰는 이유도 이런 고음역대 소리를 처리하기 위해서다.

하지만 일반적인 가정에서 스위트스팟을 만들기란 쉽지 않다. 스위트스팟을 조성하려면 오디오 감상실 같은 공간을 집안 어딘가에 별도로 마련해야 하는데, 그러기에는 경제적으로나 공간적으로 제약이 많기 때문이다. 스위트스팟 대신 어느 위치에 있어도 비슷한

오디오 스피커의 스위트스팟을 대체하는 방안으로 스위트어라운드가 주목받고 있다.

음역대로 음악 감상을 할 수 있는 스위트어라운드sweet around 환경을 만드는 것이 현실적인 대안이다.

무지향성 스피커는 바로 스위트어라운드를 추구하는 경향에 맞춰 개발된 음향 감상 디바이스다. 저렴한 비용으로도 소리에 대한 만족도를 높일 수 있다는 장점 때문에 음향업계의 대표적인 역발상 사례로 꼽힌다. 무지향성이란 소리가 특정 방향이 아닌 모든 방향으로 나가도록 만든 방식으로, 무지향성 스피커를 사용하면 모든 방향에서 음향을 감상할 수 있다. 스피커 앞에 자리를 잡지 않아도 좋은 소리를 들을 수 있는 것이다.

무지향성 스피커의 설계 방식은 크게 두 가지로 나뉜다. 첫째는 반사음을 이용하여 무지향성을 만드는 방식이 있고, 둘째는 스피커의 배치 형태에 따라 만드는 방식이 있다. 두 방법 모두 나름대로의 장단점을 가지고 있지만, 고급 오디오 제품은 대부분 반사음을 이용하는 무지향성 스피커를 채택하고 있다.

대표적인 무지향성 스피커로는 과거에 삼성전자가 출시했던 '무선 360 오디오'를 꼽을 수 있다. 이 제품은 오디오에서 재생되는 소리를 360도 방향으로 방출하여 어느 위치에서나 좋은 소리를 감상

하나의 모터에 두 개의 팬이 연결되어
360도 회전하는 양방향 선풍기(신일전자)

할 수 있도록 만든 제품이다.

상하좌우로 회전하는 선풍기

일반적인 선풍기는 좌우 회전 범위가 넓어야 180도 정도다. 따라서 그 범위를 벗어나는 곳에 있는 사람은 선풍기 위치를 두고 신경전을 벌여야만 한다. 하지만 사각지대를 없앤 선풍기가 있다면 그럴 필요가 전혀 없다.

신일전자에서 선을 보인 '양방향 선풍기'는 한 개의 모터에 두 개의 팬이 연결되어 있어 360도 전 방향에 시원한 바람을 전달한다. 덕분에 사무실과 식당 등 여러 사람이 자리하는 좁은 장소에서도 활용도가 높다. 회전할 때 바람이 오는 간격이 짧았던 기존 제품과 달리 양방향에 팬이 붙어 있어 어느 방향에서도 시원한 바람을 느낄 수 있다. 특히 모터 한 개로 구동하기 때문에 선풍기 두 대를 돌리는 것보다 에너지 효율이 높다.

양방향 선풍기와는 달리 레펠Lefel의 사각지대 없는 선풍기는 하나의 팬으로 360도 회전이 가능하다. 무작정 360도 회전하는 것이 아니라 30도부터 시작하여 60도와 90도, 그리고 135도, 180도, 360도 등 회전범위를 6단계로 설정할 수 있도록 제작되었다. 또 하나의 특징은 위와 아랫부분의 사각지대도 없앴다는 점이다. 보통 선풍기는 상하 각도조절이 45도 정도지만, 이 선풍기는 팬이 천장을 볼 수 있도록 90도까지 꺾는 것도 가능하다.

레펠에서는 상하 각도 조절은 사각지대를 보완하기 위해서라기보다 새로운 기능을 제공하기 위해 추가한 것이라고 밝혔다. 팬의 방향이 위와 아래를 향하면 선풍기 기능 외에 실내 공기순환에도 도움이 된다.

· · ·

운전을 할 때도 사각지대가 있고 복지정책에도 사각지대가 있습니다. 우리가 사는 세상 어디든 사각지대가 있다는 말이죠. 사각지대를 하나씩 해결하기 위해서는 사물을 새로운 시각으로 보는 힘이 필요합니다. 사각지대를 생각지대로 바꾸는 데 필요한 통찰력과 실천력이 뒤따른다면 세상의 사각지대는 하나씩 없어질 겁니다.

몸통보다 곁가지가 중요할 때도 있다

스마트워치 시곗줄과 토스터 스팀 기능

'장면을 훔치는 사람'이라는 뜻의 신스틸러scene stealer라는 신조어가 있다. 등장하는 시간은 짧지만 맛깔스런 연기로 단박에 시청자의 주목을 받는 연기자를 가리킨다. 말하자면 주연보다 더 관심을 끄는 조연이다. 이런 사례는 종종 디지털 세상에서도 볼 수 있다.

하드웨어의 주연이라고 할 수 있는 본체보다 조연 역할을 하는 주변장치에 소비자의 관심이 더 쏠리는 경우다. '시계보다 시곗줄이 더 중요한 스마트워치'와 '스팀장치가 탑재된 토스터'가 바로 신스틸러 같은 제품이다. 독특한 기능으로 화제가 되고 있는 이런 주변장치들은 본체 중심의 설계로 기능을 한정시키지 않고 주변장치의 기능을 고려해 확장성을 극대화시킨 것이다.

시곗줄에 핵심 기능이 담긴 스마트워치

일본의 소니가 선보인 스마트워치의 이름은 웨나Wena다. '위화감을 주지 않고 자연스럽게 착용할 수 있는Wear Electronics NAturally' 디지털 기기라는 의미의 문장에서 앞 철자들을 딴 이름처럼 이 시계는 클래식한 느낌의 아날로그 형태로 이루어져 있다. 느낌만이 아니라 실제로 웨나의 본체는 일반적인 아날로그 방식으로 만들어져 다른 스마트워치에서 흔히 볼 수 있는 디스플레이나 버튼 등을 찾아볼 수가 없다.

'디스플레이도 없고 버튼도 없는 시계가 스마트워치?'라고 의아해 할 수 있다. 하지만 여기서 소니의 번뜩이는 아이디어를 엿볼 수 있다. 이 시계의 스마트 기능을 본체가 아닌 스트랩strap, 즉 시곗줄에 숨겨놓은 것이다. 금속 재질의 시곗줄 내부에는 통신 모듈과 센서가 장착되어 있고, 사용자의 활동량을 측정할 수 있는 가속계와 진동 알림 시스템도 탑재되어 있다. 전자결제가 가능한 칩도 내장했기 때문에 메일이나 SNS는 물론 건강 측정이나 전자지갑 등의 기능도 사용할 수 있다.

다만 별도의 디스플레이가 없기 때문에 이런 기능들은 모두 스마트폰과 연동해 이루어지도록 설계되었다. 메일이나 SNS가 도착하면 진동 알림으로 알려주고, 건강 측정이나 전자지갑 등을 사용할 때는 센서와 칩을 통해 연동된 스마트폰의 디스플레이로 파악할 수

시곗줄에 핵심 기능이 들어 있는 소니의 웨나

있는 것이다.

소니는 왜 이런 방식의 스마트워치를 만든 것일까. 모든 스마트 기능을 곧바로 디스플레이에서 확인할 수 있는 스마트워치가 넘쳐나는 마당에, 굳이 시곗줄에 스마트 기능을 넣어 소비자들이 불편을 감수하도록 만든 이유가 과연 무엇일까.

이에 대해 소니는 "기존의 스마트워치와는 달리 웨나는 시곗줄만 교체하면 고객이 선호하는 브랜드의 아날로그시계를 사용할 수 있으며, 이런 형태는 다른 명품시계 브랜드와 제휴하는 입장에서 좀 더 유리할 수 있다."라고 밝혔다. 삼성이나 애플의 스마트워치는 스와치 같은 명품 브랜드와 손목시계 시장을 놓고 싸우지만, 웨나는 명품 브랜드에게 주연 자리인 시계를 양보하고 조연인 시곗줄로 승부를 거는 전략이라는 의미다. 뿐만이 아니다. 웨나는 운영시스템os에 있어서도 안드로이드와 iOS를 모두 지원하는 등 고객의 선택권을 배려하는 멀티 플랫폼 전략을 내세워 개방성과 연동성 면에서도 시장에서 좋은 반응을 얻고 있다.

수분 공급 기능으로 관심을 끌고 있는
발뮤다의 토스터

본체가 아닌 주변장치의 기능으로 시장의 주목을 받고 있는 또 하나의 제품이 일본 발뮤다BALMUDA가 개발한 토스터다. 발뮤다는 2003년 설립된 후 혁신적인 기능과 디자인이라는 무기로 놀라운 성장세를 보이고 있는 가전기업이다.

특히 이 회사가 자랑하는 토스터는 빵 굽는 기기라고 여겨졌던 고정관념을 획기적으로 바꾼 역발상 제품이다. 기존 제품들이 빵을 바짝 굽는 데만 초점을 맞춘 것과 달리, 발뮤다는 스팀을 제공하는 주변장치를 탑재해 '겉은 바싹하고 속은 촉촉한' 식감을 만들어냄으로써 '죽은 빵도 살려내는 토스터'라는 별명까지 얻고 있을 정도다.

발뮤다의 토스터 상층부에는 5밀리리터 정도의 물을 넣을 수 있는 급수구가 설치되어 있다. 이 급수구 안으로 물을 부으면 물이 스팀이 돼서 빵 표면에 얇은 수분막을 만든다. 빵의 종류에 따라 일정한 시간을 가열하면 표면은 바삭하게 구워지고 속은 부들부들하고 촉촉하게 된다. 토스터는 이 같은 스팀 기능을 활용해 모두 다섯 가지 형태로 빵을 구울 수 있다.

어떻게 보면 단순한 아이디어에 불과하지만, 발뮤다는 이 역발상 제품을 통해 특별한 고부가가치 토스터를 만들었다. 2~3만 원 정도면 살 수 있는 평범한 토스터에 스팀 기능 하나만을 더해 30만 원이 넘는 가격대로 껑충 뛰게 한 것이다. 그런데도 한동안 없어서 팔지 못할 정도였다.

시장의 이런 반응에 대해 발뮤다는 "원래의 기능을 가진 토스터가 이미 집에 있는데도 소비자의 지갑을 열도록 만드는 힘은 차별화된 기능이 완전히 새로운 제품이라고 생각하게끔 만드는 역발상 덕분"이라고 평가했다.

• • •

사람은 누구라도 스포트라이트를 받는 주연이고 싶어 합니다. 조연을 원하는 사람은 드물죠. 하지만 인생을 살다보면 주연인 사람이 그리 많지 않다는 점을 깨닫게 됩니다. 그렇다고 조연으로 사는 인생이 패배자일까요? 시계의 시곗줄처럼, 토스터의 스팀 장치처럼 처음에는 주목받지 못하더라도 최선을 다하다 보면 주연보다 더 각광받는 조연이 될 수 있지 않을까요?

이가 없으니 잇몸으로 씹는다
전기 없이 작동하는 LED 전등과 냉장고

'꿩 대신 닭'이라는 속담은 예전에는 설날 꿩고기를 넣어 떡국을 끓여먹었는데 꿩고기를 구하기가 쉽지 않아 닭고기로 대신하게 되었다는 말이다. 이 말은 적당한 사람이나 물건이 없을 때, 가장 비슷한 사람이나 사물로 대신한다는 뜻으로 쓰인다.

'양초로 켜지는 LED 램프'와 '태양광으로 가동되는 냉장고'가 바로 '꿩 대신 닭' 같은 제품이다. 이 제품들은 LED 램프와 냉장고의 에너지원인 전기가 부족할 때 양초와 태양광으로 대체한다.

양초로 켜는 LED 램프

전기가 부족한 저개발 국가에서는 주로 등유 램프를 켜고 밤을 보낸다. 등유 램프에서 나오는 유해한 물질 때문에 호흡기질환 사망자가 늘고, 가격이 비싸 매달 수입의 30% 정도를 비용으로 지출해야 하지만 계속 사용할 수밖에 없다. 등유를 대체할 수 있는 다른 에너지원이 마땅치 않기 때문이다.

사회적 기업 루미르Lumir의 박재환 대표는 젊은 시절 인도여행에서 이런 사실을 알았고, 아직도 전 세계 인구의 20% 정도인 13억 명이 전기 없이 생활하고 있다는 실상도 깨달았다. 여행 당시 그는 주민들에게 왜 등유보다 더 저렴하고 안전한 양초를 사용하지 않는가 물었다. 그들은 양초의 밝기가 약하고 깜빡거려 밤에 책을 읽는 데는 어려움이 있다고들 했다.

박 대표는 이 문제를 자신이 해결해야겠다고 마음먹었다. 전기공학을 전공했기 때문에 어떻게 양초를 등유의 대안으로 만들 것인지 나름의 계산이 선 것이다. 귀국하자마자 그는 전기 없이 양초만으로 작동하는 LED 램프 개발을 시작했다. 시행착오를 겪는 과정에서 대학에서 배운 전기공학 분야의 지식이 커다란 도움이 됐다.

그가 개발한 티라이트Tea Light 램프는 양초에 불을 붙여 제품 하단에 놓으면 상단에 위치한 LED 등이 켜지는 구조로 이루어져 있다. 어떻게 양초가 LED 램프를 켤 수 있는 것일까? 그에 대한 해답은 양초에서 나오는 열에너지를 전기로 바꾸는 제벡효과seebeck effect에 있다.

제벡효과란 두 금속 사이에 전위차potential difference가 생기는 현상을 말하는데, 전위차란 전압 또는 전기압력을 뜻한다. 서로 다른 금속의 양쪽 끝을 모아서 용접한 뒤, 한쪽에는 높은 온도를 제공하고 다른 쪽에는 낮은 온도를 제공할 때 발생한다. 다시 말해 제벡효과는 온도차를 이용해 전기를 발생시키는 원리로 열전효과thermo-electric effect라고도 한다.

박 대표는 "우리가 개발한 램프의 원리는 촛불에서 나오는 열을 전기로 변환해 LED를 밝히는 것이다. 깜빡임이 심한 양초의 빛을 안정화하여 이를 열로 보내는 것이 루미르가 보유한 핵심 기술"이라고 밝혔다. 일반적으로 양초는 빛을 발하는 광원 역할을 한다. 루미르 램프는 양초를 광원으로 사용하지 않고 전기를 만드는 에너지원으로 사용한 역발상적인 아이디어라고 할 수 있다. "양초를 광원으로 쓴다 해도 기껏해야 사물을 인식할 수 있는 정도밖에 되지 않는다. 반면에 양초를 에너지원으로 삼으면, 나비효과처럼 더 밝은 빛을 내는 데 필요한 광원으로 활용할 수 있다."라고 그는 덧붙였다.

루미르가 시판 중인 램프 루미르C는 무드 램프와 스팟 램프 두 종류로 각각의 밝기는 15루멘과 60루멘이다. 무드 램프는 주변을 은은하게 밝힐 수 있고, 스팟 램프는 책을 읽기에도 불편이 없을 정도의 밝기를 유지한다.

최근에는 외부 전력 없이 식용유로만 작동하는 LED램프 '루미르 K'도 출시했다. 식용유에 불을 붙였을 때 생기는 열에너지를 전기에너지로 변환해 LED에 불을 켜는 원리다. 식용유 1리터에 800원 정도면 200시간 사용이 가능해 1달러 정도로 한 달 동안 램프를 켤

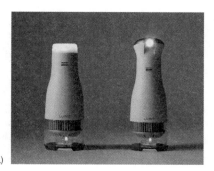

제벡효과를 활용한 루미르의 티라이트(루미르)

수 있다. 루미르K는 일반 등유램프와 비교해 20%의 연료만으로
2.5배나 밝은 빛을 낸다고 한다.

개발도상국의 위생을 책임지는 태양광 냉장고

루미르의 LED 램프가 양초의 열을 전기로 바꿔 개발도상국의 밤
을 밝혀주었다면, LG전자의 냉장고는 태양광을 전기로 만들어 아
프리카와 남미 주민들의 먹거리 위생을 지켜주고 있다.

LG전자가 개발해 무상으로 제공한 태양광 냉장고는 현재 케냐의
소외지역 보건시설과 페루의 개발낙후 지역에 설치되어 있다. 전력
공급 사정이 불안정하던 이 지역에서는 어린이나 노약자에게 제공
되는 의약품과 식량을 냉장보관할 수 없어 위생과 건강상 많은 문
제가 발생했다.

태양광 냉장고는 일반 냉장고에 태양광 에너지를 공급할 수 있는
'태양광 패널'과 전력을 저장할 수 있는 '배터리', 그리고 충전제어
가 가능한 '컨트롤러'로 이루어져 있다. 태양광 패널로 빛을 전기로

열전효과를 이용한 냉온수기와 급속 냉각기

정수기 안에서 별도로 물을 데우지 않는데도, 버튼을 누름과 동시에 뜨
거운 물이 나오는 냉온수기가 있다. 이처럼 냉온수기가 빠르게 찬물과
뜨거운 물을 공급해줄 수 있는 것은 바로 내장된 열전(熱傳) 반도체 덕
분이다. '열전'이란 열에너지를 전기에너지로 만들거나 반대로 전기에너
지를 열에너지로 변환하는 것을 의미하는데, 열전 반도체는 열전효과
를 이용하여 개발되었다.

변환시켜 이를 배터리에 저장한 다음, 여기서 나오는 전력을 냉장고로 연결하는 것이 주요 원리다.

200리터 용량의 이 냉장고는 전기가 없는 곳에서도 24시간 가동이 가능하다. 또한 일반 냉장고와 비교해 에너지 효율은 36% 높이고, 소음 수준은 38데시벨로 낮춘 것도 태양광 냉장고의 장점이다.

꿩 먹고 알도 먹는다

우유로 만든 포장재와 과자로 만든 커피잔

'꿩 먹고 알 먹고'라는 속담이 있다. 하나를 통해 두 개의 이익을 얻는다는 뜻으로 일석이조一石二鳥나 일거양득一擧兩得 같은 사자성어와 유사한 의미다. 맛있는 음식을 먹으면서 환경까지 보호하거나 건강과 안전을 동시에 지킬 수 있을 때도 그런 표현을 쓸 수 있다. '먹을 수 있는 식품 포장재'와 '먹을 수 있는 커피잔' 같은 제품이 이런 사례로, 이 제품들은 식품과 커피를 즐기면서도 환경을 보호하고 안전을 지킬 수 있다.

식품도 먹고 포장재도 먹고

식품 포장재는 양면성을 가지고 있다. 외부 오염으로부터 내용물을 보호해 신선도와 안전을 유지해주는 반면에 수많은 환경오염 문제를 야기하는 주범이기도 하다. 이런 문제를 해결하기 위해 미국 농무부 산하 동부지역연구센터는 우유 단백질로 만든 포장재를 개발했다. 포장재 연구 책임자 페기 토마슐라Peggy Tomasula 박사는 "포장재를 우유 단백질로 만들었다는 것은 사람이 먹어도 된다는 의미로, 이 포장재를 상용화하면 식품의 오염을 막는 동시에 비닐 포장재 매립으로 생기는 환경문제도 해결할 수 있다."고 밝혔다.

먹을 수 있는 포장재 개발이 처음은 아니다. 하지만 지금까지는 대부분 녹말이나 탄수화물 성분으로 만들었고 단백질을 이용해 만든 포장재는 이번이 처음이다. 단백질 포장재는 카세인casein과 레몬 껍질 등에 들어 있는 펙틴pectin 성분을 섞어 만들었다. 오랫동안 카세인을 연구해온 연구원이 말린 우유를 필름처럼 만들 수 있다는 점을 발견한 뒤 포장재 개발에 도전했다. 투명한 단백질 포장재는 주위에서 흔히 볼 수 있는 주방용 랩이나 비닐 포장재와 비슷하다.

단백질 포장재를 치즈스틱이나 소시지 같은 식품에 사용하면 내용물과 포장재를 함께 먹을 수도 있고, 각종 비타민과 미네랄을 첨가해 영양가를 높이거나 향료 등을 첨가해 다양한 맛을 낼 수도 있다. 뿐만 아니라 이 포장재는 단순히 비닐 포장 같은 형태 외에 스프레이를 이용해 식품을 코팅하는 형태로도 쓸 수 있다. 비닐 포장보다 산소 차단이 효과적이어서 음식물의 산화를 막는 데도 500배나 뛰어난 효과가 있는 것으로 파악됐다.

토마슐라 박사는 "이런 식품은 앞으로 끓는 물에 포장재와 함께

내용물과 함께 먹을 수 있는 우유 단백질로 만든 포장재

통째로 넣어 요리할 수도 있을 것"이라며, "이런 방법은 현재 사용하고 있는 플라스틱 소재 포장재로는 불가능한 작업"이라고 평가했다. 해결해야 할 남은 과제는 포장재의 보존 기한을 늘리는 것이다. 단백질로 만든 포장재인 만큼 생물학적 분해가 빨라져서 짧은 기간에 썩을 수 있기 때문이다.

커피도 마시고 커피잔도 먹고

커피 시장이 폭발적으로 늘어나는 만큼 커피 용기의 폐해도 눈덩이처럼 불어나고 있다. 특히 테이크아웃을 할 때 사용하는 일회용 컵의 플라스틱 뚜껑이나 종이컵 모두 환경오염의 주범이 되고 있다. 이탈리아의 글로벌 커피회사 라바짜Lavazza는 이러한 상황에 일말의 책임감을 느꼈다. 110년의 역사를 이어온 프리미엄 커피브랜드지만, 환경오염에 원인을 제공하고 있다는 비난을 피할 수가 없었기 때문이다.

라바짜는 글로벌 제조디자인업체 사르디 이노베이션과 함께 손을 잡고 버려지는 커피잔의 환경오염을 막을 수 있는 제품 개발에

쿠키로 만든 라바짜 쿠키컵

착수해 쿠키로 만든 '라바짜 쿠키컵Lavazza Cookie Cup'이라는 신개념 커피잔을 선보였다. 이 잔은 에스프레소 전용으로 겉은 쿠키이고 속은 수분이 스며들지 않는 특수 설탕으로 코팅했다.

디자이너 엔리케 사르디Enrique Luis Sardi는 "일반적인 쿠키컵은 뜨거운 온도의 커피를 견디지 못하고 흐물흐물해지거나 녹아내리지만, 우리는 수분이 스며들지 않도록 특수 설탕으로 코팅하는 아이싱슈거 방법을 사용해 컵이 누그러지는 현상을 막았다."라고 전했다. 그는 "소비자들이 쌉싸름한 에스프레소를 마신 뒤 달콤한 쿠키로 마무리하는 것도 새로운 경험이겠지만, 그보다 더 중요한 것은 더 이상 일회용 커피잔이 발생하지 않는다는 점"이라고 강조했다.

· · · ·

'하나를 얻으면 하나를 잃는 것이 자연의 이치'라는 말이 있죠. 맞는 말이지만 예외인 경우도 많습니다. 특히 과학기술을 이용하면 일석이조가 아니라 일석삼조나 일석사조를 얻을 수 있으니까요.

밑 빠진 독이 아이디어 상품

구멍 뚫린 신발과 양면 김치통

'밑 빠진 독에 물 붓기'라는 속담은 갖은 노력을 다해도 아무런 성과를 거둘 수 없을 때 쓰는 말이다. 하지만 과학기술을 이용하면 밑 빠진 독이더라도 뜻밖의 결과들을 얼마든지 얻을 수 있다. 신발 밑창에 구멍이 뚫렸어도 발을 쾌적하게 보호하는 '구멍 뚫린 신발'과 김치통 바닥이 빠져 있어도 싱싱한 김치를 먹을 수 있는 '밑 빠진 김치통'이 바로 그러한 역발상의 사례다.

방수와 투습을 동시에 하는 고어텍스

옷에 대해 별다른 관심이 없는 사람이라도 고어텍스Gore-Tex는 한번쯤 들어봤을 것이다. 그만큼 의류 소재로 유명한 브랜드다. 고어텍스는 열이나 약품에 강한 테플론계 수지를 가열해 만든 아주 얇은 막으로, 자세히 살펴보면 미세한 구멍들이 형성되어 있음을 알 수 있다.

일반적으로 고어텍스 하면 아웃도어 의류를 떠올리지만, 사실 이 소재는 항공우주용으로 개발됐다. 1981년 미국항공우주국NASA이 컬럼비아호에 탑승하는 우주인에게 고어텍스로 만든 우주복을 제공한 것이다. 이후 소재의 우수성이 알려지면서 점차 군복이나 등산복을 만들게 됐는데, 특히 빗물이 내부로 스며드는 것은 막으면서 땀은 외부로 발산하는 독특한 장점 덕분에 기능성 의류 소재의 대명사처럼 여겨지고 있다.

국내에서 고어텍스가 본격적인 유명세를 타게 된 것은 한 유명 제화회사에서 개발한 '내피와 밑창에 구멍이 뚫려 있지만 물은 새지 않는 신발'에 적용된 사실이 알려지고부터였다. 구멍 뚫린 신발은 금강제화가 개발한 고어텍스 서라운드Gore-Tex Surround였다. 신발 안쪽에만 고어텍스 소재를 사용한 기존 신발과 달리, 이 제품은 내피와 밑창 등 신발의 모든 곳에 고어텍스 멤브레인Gore-Tex Membrane을 사용했다.

고어텍스 멤브레인은 6.25cm²당 90억 개 이상의 미세한 구멍으로 이루어져 있다. 물방울 입자보다 2만 배 이상 작은 이 구멍은 수증기 분자보다는 700배 정도가 크다. 따라서 외부에서 들어오는 비나 눈은 신발 내부로 스며들지 못하지만, 몸에서 나는 땀은 수증기

고어텍스 멤브레인을 사용한 등산화

상태일 때 밖으로 배출된다. 입자 크기 차이를 이용해 방수와 투습이 동시에 가능하도록 만든 것이다. 덕분에 통기성 또한 기존 신발과 비교할 수 없을 정도로 훌륭하다.

신발 밑창에 구멍이 뚫려 있기 때문에 내구성을 걱정하는 사람도 있지만 이 역시 문제가 없다. 외부의 이물질로부터 사용자를 안전하게 보호할 수 있는 견고한 망사 소재가 신발 바닥에 부착되어 있기 때문이다. 단단한 압축 부직포인 프로텍티드 레이어Protected Layer 망사 소재가 고어텍스 멤브레인 위에 덧대어 있기 때문에 사용자의 발바닥을 안전하게 보호할 수 있다.

싱싱한 맛을 제공하는 양면 김치통

김치 저장용기 백앤락Back & Lock은 밑바닥이 완전히 빠져 있는데도 싱싱한 김치맛을 제공한다. 김치통 밑바닥이 빠져 있다는 것은 위와 아래가 모두 터져 있다는 말인데, 윗부분이야 뚜껑을 열고 닫아야 하기 때문에 당연히 뚫려 있어야 하지만, 어째서 바닥까지 없앤

위와 아래가 터진 양면 김치통

것일까?

　일반적으로 주부들은 김치통에서 김치를 꺼낼 때 바닥에 있는 포기를 꺼낸다. 아래쪽에 있는 포기가 양념에 잠겨 있어서 더 먹음직스럽기 때문이다. 포기를 꺼낸 후에는 위에 있는 김치를 아래로 보내기 위해 뒤적거린다. 양이 많아 통이 가득 차 있을 때는 꽤 번거로운 일이다.

　백앤락은 주부들이 손쉽게 싱싱한 김치를 먹을 수 있도록 위와 아래에 뚜껑이 달려 있는 양면 김치통을 개발했다. 양면 김치통의 특징은 뒤집어주기만 하면 된다는 것이다. 김치를 꺼낸 후 뚜껑을 닫고 뒤집어주면 위에 있던 포기들이 아래로 내려가게 되고, 자연스럽게 양념 국물에 잠기게 된다. 예전처럼 위아래를 뒤적일 필요가 없는 것이다. 국물이 새지 않을까 하는 우려도 있지만 초강력 실리콘 수지가 이를 방지하기 때문에 문제가 없다.

• • •

일을 하다보면 성과는 나타나지 않고 고생만 하는 경우가 종종 있습니다. 이런 상황이 계속되면 대부분의 사람들은 짜증을 내거나 포기하게 되죠. 하지만 이럴 때일수록 과학기술을 기반으로 한 역발상적 접근이 필요합니다. 관행적으로나 상식적으로 해서 결과가 나오지 않는다면, 모든 과정을 거꾸로 놓고 다시 한 번 접근하는 것은 어떨까요?

배가 하늘로 향하면 더 높이 난다

높이뛰기 자세와 스키점프 자세

'친구 따라 강남 간다'라는 속담은 별다른 생각 없이 남들이 하니까 따라하는 행동을 가리킨다. 이 같은 행동은 스포츠라고 해서 별반 다르지 않다. 잘하는 선수가 하는 자세나 연습을 그대로 따라하면 좋은 기록이 나온다는 고정관념이 있다. 지금 소개하는 '높이뛰기 역사를 새로 쓴 배면뛰기'와 '하늘을 더 오래 나는 V자세 스키점프'는 고정관념에서 벗어나 스포츠 분야의 새로운 역사를 쓴 역발상의 결과물이다.

높이뛰기 역사를 바꾼 배면뛰기

육상 분야에서 높이뛰기 역사는 1968년 이전과 이후로 나뉜다. 그 해 멕시코 올림픽에서 높이뛰기 역사에 한 획을 그은 새로운 도약법이 선을 보였기 때문이다. 그전까지 높이뛰기 선수는 가위뛰기와 벨리롤오버belly roll over라는 도약법으로 바bar를 넘었다. 가위뛰기는 양 다리를 바에 걸쳐 앉듯이 뛰어넘는 자세를 말하고, 벨리롤오버는 얼굴을 땅으로 향한 뒤 다리를 솟구쳐 뛰어오르는 자세다. 선수의 복부belly가 막대기 위를 구르는 것처럼 보이기 때문에 벨리롤오버라고 불린 이 도약법은 등이 하늘을 향한다고 해서 등면뛰기라고도 한다.

그런데 1968년 멕시코 올림픽에서는 아무도 예상치 못한 이상한 자세의 도약법이 등장해 관중을 놀라게 했다. 미국의 덕 포스베리Dick Fosbury가 이전까지의 주된 자세였던 등면뛰기와 달리, 배가 하늘로 향하는 자세를 선보인 것이다. 공중에서 몸이 거의 드러눕는 듯한 역발상적 자세로 바를 넘은 포스베리는 멕시코 올림픽에서 224센티미터의 신기록으로 금메달을 목에 걸었다. 이 도약법은 그의 이름을 따 포스베리 플롭Fosbury Flop이라고 명명되었다.

배면뛰기라고 불리는 이 도약법은 그 후 높이뛰기 분야에서 신기원을 이루었다. 올림픽이 끝난 후 모든 선수가 이 방법을 바로 따라하지는 않았지만, 1985년 러시아 선수가 배면뛰기로 240센티미터 신기록을 수립한 후에는 현재까지 모든 선수가 배면뛰기 자세만으로 높이뛰기를 하고 있다.

배면뛰기 자세는 등과 허리, 다리를 뒤로 젖히면서 만들어지는

가장 효과적인 높이뛰기 방식인 배면뛰기
(무게중심의 경로)

반원의 빈 공간을 활용하는 도약법이다. 이 공간에서 발생하는 무게중심 변화를 이해하기 시작하면서 선수는 자신의 키보다 더 높은 곳의 바를 넘을 수 있게 되었다. 흔히 점프가 좋아야 높이뛰기를 잘한다고 생각하지만 국제대회에 나오는 선수의 수준이라면 점프는 비슷비슷하다. 관건은 점프가 최정점에 달했을 때 바를 넘을 수 있느냐의 여부다. 전문가들은 몸의 무게중심과 바의 간격이 가장 가까워 점프가 정점에 이를 때 바를 넘게 해주기 때문에 배면뛰기 자세가 유리하다는 입장이다.

양력이 더 높은 V자세

날고 싶은 인간의 욕망을 스포츠로 승화시킨 종목인 스키점프는 북유럽 지방의 전통놀이에서 유래했다고 알려져 있다. 스키점프가 올림픽 정식 종목으로 채택된 것은 1924년 제1회 샤모니 대회부터다.

초창기 스키점프 영상을 보면 지금과는 상당히 다른 자세를 취하고 있다. 선수들이 점프할 때 모두 손을 번쩍 치켜들고 다리와 발은 완전히 붙여 11자 자세를 취하고 있는 것이다. 이후 손을 올리는 자

비행거리를 늘려주는 스키점프 V자세

세는 바람의 저항을 일으키는 것으로 밝혀져 내리는 자세로 수정되었지만, 스키를 나란히 한 채 11자 형태로 만드는 것은 여전히 최고의 스키점프 자세로 여겨졌다.

그런 고정관념이 1980년대에 스키점프 선수로 활약했던 스웨덴의 얀 보클뢰브Jan Bokloev에 의해 깨졌다. 그는 스키의 뒷부분은 겹치도록 만들고, 앞부분은 최대한 벌리는 'V자세'로 점프를 시도했다. 다소 우스꽝스러운 모습으로 하늘을 나는 그를 보며 심판과 관중은 비웃었지만, 그가 착지한 지점은 모두의 예상을 깬 엄청나게 먼 곳이었다.

대다수의 사람들은 그런 기록을 일시적인 현상이라고 생각했다. 그런데 노르웨이에서 스포츠과학을 연구하는 과학자들은 이를 그냥 지나치지 않았다. 보클뢰브의 기록에 충격을 받은 노르웨이 연구진은 곧바로 풍동실험에 착수했고, 그 결과 V자세일 때 스키를 나란히 하는 11자 자세일 때보다 양력이 최대 28%나 증가한다는 점을 파악했다. 양력은 힘을 받는 면적이 넓을수록 강한데, V자세가 힘을 받는 면적이 11자 자세보다 더 넓게 나타났다.

실제로 V자세는 11자 자세보다 비행거리를 10미터 이상 늘려주는 효과가 있는 것으로 밝혀졌다. 보클뢰브가 연이어 좋은 성적을 거두자 다른 선수들도 모두 그의 자세를 따라하게 되었다. 1992년 알베르빌에서 열린 동계올림픽부터는 스키점프 종목에 출전한 모든 선수가 V자세를 취하기 시작했고, 지금까지 현존하는 가장 과학적인 스키점프 자세로 인정받고 있다.

· · ·

이미 상식처럼 여겨지는 관행에 이의를 제기하며 새로운 방법을 찾는다는 것은 결코 쉬운 일이 아닙니다. 실패할 수 있고, 인정받지 못할 수도 있기 때문이죠. 하지만 대부분의 창시자들은 이 같은 위험을 감수하면서 도전을 멈추지 않았습니다. 그리고 그들이 도전할 수 있도록 뒷받침한 것은 과학기술이었죠. 실패에 대한 두려움은 과학의 힘으로 떨쳐버릴 수 있습니다.

아이디어

Part 4

기술이 보여주는
역발상의 과학

우리에게 가장 큰 피해를 끼친 말은
'지금껏 항상 그렇게 했어'라는 말이다.
그레이스 호퍼(Grace Hopper) _ 컴퓨터과학자 · 해군제독

없애면 기능이 더 좋아진다

잉크 없는 프린터와 냉각팬 없는 노트북

'단순한 것이 더 아름답다Less is more'라는 말은 독일 건축가 미스 반 데 로에Mies van der Rohe가 했지만, 우리에게는 애플 창업자 스티브 잡스의 경영철학으로 더 많이 알려져 있다. 뭔가 부족한 듯 보이는 것이 때로는 더 효율적이고 탁월한 성과를 낼 수 있다는 점을 강조한 말로, 단순함과 간결함을 추구하는 미니멀리즘minimalism과도 일맥상통한다. 우리가 사용하는 전자제품 중에도 중요한 뭔가가 빠졌는데 원래 기능을 그대로 유지하는 역발상 제품이 있다. 일명 'less 제품'으로 불리는 이 전자제품들은 핵심으로 여겨지던 부품이나 소재를 없애고도 기능을 그대로 유지하거나 오히려 더 좋아졌다.

프린터에 잉크가 없다

프린터의 핵심 기능은 종이에 원하는 글자와 그림을 인쇄하는 것이다. 인쇄를 하기 위해서는 잉크나 토너가 필요한데, 지금 소개하는 프린터는 잉크나 토너를 전혀 쓰지 않는 잉크리스inkless 프린터다.

바로 즉석카메라로 유명한 폴라로이드polaroid가 개발한 휴대용 프린터 '포고PoGo'다. 포고가 잉크 없이 프린트를 할 수 있게 된 것은 '제로 잉크Zero Ink'를 추구하는 기업 징크ZINK의 기술을 적용한 덕분이었다. 제로 잉크란 말 그대로 전혀 잉크를 사용하지 않고 인쇄할 수 있는 프린터라는 의미다.

'혹시 레이저로 종이를 태워서 흑백으로만 인쇄하는 것은 아닐까?'라고 생각하는 사람도 있을 것이다. 하지만 포고는 빨강은 물론 노랑과 파랑 등 모든 색상을 인쇄할 수 있는 컬러 프린터. 잉크 없이 어떻게 화려한 색상의 이미지를 인쇄할 수 있을까? 그 비결은 바로 종이에 숨어 있다. 포고는 우리가 흔히 사용하는 인쇄용지가 아니라 자신만의 전용 용지를 사용해 인쇄한다. 그렇다고 포고의 용지가 별나게 생긴 것도 아니다. 징크가 특허출원한 전용 용지는 겉보기에는 일반 용지와 똑같은 백지다. 하지만 그 안에 징크만의 차별화된 기술력이 녹아 있다.

징크의 용지는 빨강과 노랑, 파랑 3색으로 이루어진 어모포크로믹amorphochromic이라는 특수염료가 압착되어 있고, 그 위에 고분자로 코팅되어 있다. 인쇄 과정에서 종이에 열이 가해지면 특수염료가

폴라로이드가 개발한 휴대용 프린터 포고(PoGo)

녹아 섞이면서 다양한 색상의 이미지가 나타나는 것이다. 폴라로이드는 "프린터 헤드에 열을 가하면 전용 인쇄용지에 압착되어 있던 염료가 녹아서 색이 스며나오도록 하는 것이 포고의 인쇄 원리다."라고 설명했다.

폴라로이드가 이 같은 프린터를 만든 이유는 여전히 전 세계 프린터 시장의 상당 부분을 차지하고 있는 잉크젯 프린터 시장을 대체하기 위해서였다. 잉크젯 프린터는 일정 시간이 지나면 잉크를 분사하는 노즐이 막혀 잉크가 남았는데도 카트리지를 버리는 경우가 많다는 문제가 있었다. 하지만 용지에 열만 쬐어주면 인쇄가 되는 포고 방식은 그럴 염려가 없다. 오랫동안 프린터를 사용하지 않더라도 전용 용지만 있으면 언제든 인쇄를 할 수 있기 때문에 잉크나 카트리지를 낭비하지 않아도 되는 것이다.

포고의 장점은 이것만이 아니다. 즉석사진의 대명사인 폴라로이드 제품답게, 전용 용지는 단순히 이미지를 인쇄하는 용도를 넘어 스티커처럼 활용할 수도 있다. 용지 뒷면이 떼었다 붙였다 할 수 있는 스티커 형태로 되어 있어 다이어리나 보드 등에 포스트잇처럼 붙여도 된다. 또한 PC를 통하지 않고도 직접 출력이 가능하다. 디지털 카메라와 직접 접속할 수 있는 픽트브리지PictBridge 시스템을 이용하면, 어디든 포고를 들고 다니며 즉석에서 사진을 인쇄할 수 있다.

냉각팬을 없애버린 노트북

보고서 작성이나 자료 검색을 할 때 노트북은 없어서는 안 될 필수품이다. 특히 데스크톱 컴퓨터와 달리 언제 어디서든 사용할 수 있다는 점이 노트북의 매력이다. 그런데 도서관처럼 조용한 장소에서 사용할 때 노트북에서 나는 약간의 소음 때문에 은근히 신경 쓰일 때가 있다. 가끔은 주변 사람들의 따가운 눈총이 느껴지기도 해서 바늘방석에 앉은 기분이 들기도 한다.

노트북은 왜 소음이 생기는 것일까? 간혹 메인보드에 이상이 있거나 하드디스크 같은 저장장치 모터가 원인일 때도 있지만 대부분 냉각팬에서 발생한다. 냉각팬이 소음의 원인이라면 제거해 버리면 되지 않을까? 그것은 절대로 안 된다. 노트북을 오래 사용하면 내부에서 열이 발생하는데, 열이 지속되면 부품에 문제가 생겨 오작동 원인이 되기도 한다. 냉각팬은 발생하는 열을 식혀서 정상적으로 작동할 수 있도록 도와주는 역할을 한다. 냉각팬을 제거하면 노트북을 오래 사용할 수 없게 된다.

그런데 냉각팬을 없앤 역발상 노트북이 등장했다. 바로 삼성전자

발열 제거에 필요한 쿨링팬을 뺀 팬리스 노트북

가 개발한 '팬리스 노트북'이다. 냉각팬이 없다면 어떻게 열을 식힐 수 있을까? 정답은 냉각팬이 필요 없을 정도로 열 발생을 최소화하는 것이다. 노트북에서 발생하는 열을 본체 전부에 골고루 분산시키면 굳이 냉각팬을 사용할 필요가 없다는 것이다.

기존 노트북의 발열 문제는 중앙처리장치cpu처럼 특정 부품이 위치한 곳에서 집중적으로 발생했기 때문에 냉각팬이 이 열들을 빼내주어야만 했다. 하지만 설계 기술이 고도화되면서 특정 부품에서 발생하는 열을 모든 부품으로 연결시켜 고르게 발생하도록 만들었기 때문에 냉각팬이 없어도 노트북에 무리가 가지 않게 되었다.

냉각팬을 제거해도 성능에 별다른 문제가 생기지 않으면서 소음이 발생하지 않는 노트북이 탄생하자 노트북 업계는 너도나도 따라하고 있다. 분산 설계 시스템을 적용하면 가격이 올라가는데도 국내외 제조사들은 고사양 팬리스 노트북 개발에 주력하고 있다. 팬이 없기 때문에 사무실이나 도서관 등 조용한 곳에서도 사용이 자유로워 소비자에게도 좋은 반응을 얻고 있다.

· · ·

프린터의 잉크나 노트북의 냉각팬은 빼면 안 되는 소재와 부품입니다. 하지만 고정관념을 버리자 기능적으로 전혀 문제없는 제품이 탄생했습니다. 물론 무조건 빼는 것이 능사는 아니겠죠.

더하면 두 배가 아니라 무한대가 된다

물리적 가상 키보드와 요철 스크린

'1+1=2가 아니다. 3이나 10이 될 수 있고, 무한대도 될 수 있다.' 하나에 하나를 더해 둘이 되는 것은 수리數理 측면의 논리다. 하지만 가치價値 측면의 경우는 조금 다르다. 하나에 하나를 더해 셋이 될 수있고, 열이 될 수도 있다. 이처럼 수학적으로는 설명이 어려운 가치의 논리가 현실에서 이루어질 수 있도록 하는 것이 바로 과학기술이다.

실제로 기존의 기능에 한 가지만 더했을 뿐인데, 그 가치가 예상을 훨씬 뛰어넘는 역발상 제품들이 있다. 디지털 기기들의 가상 키보드가 갖고 있는 한계를 극복하게 해주는 '신개념 물리적 키보드'나 평면 스크린에 입체감을 부여해주는 '공기 실린더' 등이 그 주인공이다.

가상 키보드와 물리적 키보드의 융합

스마트폰 시장이 급성장하는 데 결정적 영향을 미쳐온 애플은 그동안 혁신적 기술을 선보여 왔다. 그중에서도 가상 키보드virtual keyboard로 대표되는 터치touch 기술은 손꼽을 만하다.

애플의 스마트폰인 아이폰이 등장하기 전까지 디지털 기기의 입력장치는 물리적 키보드가 대부분이었다. 그런데 전면 액정으로 이루어진 아이폰이 탄생하면서 물리적 키보드에 대한 고정관념이 깨졌다. 그만큼 애플의 터치 기술이 보여준 센세이션은 대단했다. 특히 스마트폰은 물론 컴퓨터와 모니터까지 가상 키보드 적용 범위가 넓어지면서 상대적으로 물리적 키보드의 입지는 더 줄어들었다.

하지만 가상 키보드라고 모든 게 탁월하지는 않다. 글자를 입력하는 타이핑 속도가 물리적 키보드보다 현저히 느리고, 스마트폰 같은 소형 디바이스의 경우는 협소한 키보드 배열로 자주 오타가 생길 수밖에 없다. 이 같은 가상 키보드의 약점을 극복하기 위해 등장한 아이디어가 가상 키보드에 물리적 키보드를 더한 융합제품이다. 경쟁적 입장에 있던 두 개의 키보드가 역발상을 통해 서로의 단점을 보완하는 관계로 거듭나게 된 것이다.

스파이크 키보드spike keyboard라는 이 입력장치는 아이폰 사용자를

덮개 형태의 물리적 키보드인 스파이크 키보드

위한 덮개 형태의 물리적 키보드다. 글자를 입력하기 위해 아이폰과 블루투스로 연결할 필요가 없고, 별도의 배터리도 필요 없는 완전한 물리적 방식의 액세서리다. 물론 스파이크 키보드가 등장하기 전에도 아이폰 사용자들은 원활한 타이핑을 위해 별도의 키보드 등을 사용해왔다. 그러나 이런 액세서리를 사용하기 위해서는 블루투스 같은 무선 연결 시스템과 배터리 등이 필요했기 때문에 여러 가지로 불편했다.

스파이크 키보드는 케이스와 일체형이므로 간편하고, 스마트폰과 어떤 연결도 없기 때문에 별도의 전력 제공이 필요 없다. 사용방법도 무척 간단하다. 이 키보드의 크기와 위치가 아이폰의 가상 키보드와 동일하기 때문에, 스파이크 키보드의 키를 누르면 바로 아래 위치한 가상키가 동시에 눌러지는 원리다. 입력이 끝나고 키보드를 뒤로 접으면 케이스 뒷면의 일부가 되므로 사용자가 아이폰의 전체 액정 화면을 사용할 때도 전혀 문제될 게 없다. 이 키보드는 솔로매트릭스SoloMatrix가 개발했는데, 컴퓨팅 전문 매체인 피시월드PC World에서 우수 아이디어로 선정되기도 했다.

장면이나 음악에 따라 변하는 요철 스크린

스파이크 키보드가 가상 키보드에 물리적 키보드를 더해 터치 기술의 한계를 극복한 제품이라면, 지금 소개하는 스크린은 '스크린은 평면'이라는 고정관념을 깬 제품이다. 서로 아무 관계가 없을 것 같은 스크린과 공기 실린더가 만나 신개념 제품으로 변신한 역발상 사례다.

스크린이 평면이라는 고정관념을 깼다면, 굴곡이 있는 스크린이라도 된다는 말인가? 그렇다. 이 제품은 표면이 울퉁불퉁한 스크린이다. 그렇다고 그 자체가 굴곡이 있는 것은 아니고, 장면이나 음악에 따라 표면이 들어갔다 나왔다하면서 변하는 이른바 '요철凹凸 스크린'이다.

예를 들어 백두산이 화면에 등장하면 스크린 표면의 일부가 마치 산을 표현하듯 솟아오른다. 그러다가 파도치는 동해 바다가 보이면 일렁이는 파도처럼 스크린이 물결치는 형태가 된다. 지모션Gemotion이라는 이 스크린은 화면에 나타나는 영상에 맞춰 화면이 튀어나오고 들어가는 살아 있는 디스플레이다. 스크린 뒤에 72개의 공기 실린더를 배열해 독특한 입체 장면을 만들어낸다.

지모션을 만든 도쿄대학 가와구치 요이치로河口洋一朗 교수는 1975년부터 자신만의 독특한 스타일로 컴퓨터그래픽스 작업을 해온 이 분야의 권위자. 그는 '스크린 표면에서 부딪히는 CGIComputer Graphic Image 기술'이라는 이론을 기반으로 새로운 3D 디스플레이 분야를 발전시켜 왔다.

지모션은 영상이 스크린에 투사되면 영상에서 추출한 이미지 데

실린더가 스크린 뒤에서 움직이며 요철 효과를 낸다.

이터가 공기 실린더로 전송되는 시스템으로 이루어져 있다. 실린더는 이에 따라 스크린을 밀고 당기면서, 말 그대로 살아 움직이고 튀어나오는 영상을 만들어낸다. 요이치로 교수는 "스크린의 변천사를 요약하면 '시청각'을 거쳐 '가상현실'이 주류를 이루다가, 이제는 사람이 촉각으로 느낄 수 있는 '햅틱haptic'의 세상으로 진화하고 있다고 볼 수 있다."라고 설명했다.

• • •

물리적 키보드와 가상 키보드처럼 서로 상반된 제품이나 스크린과 실린더처럼 전혀 상관이 없는 제품을 융합해 신개념의 제품이 만들어졌습니다. 고정관념을 버리고 주변에 있는 사물을 유심히 관찰하는 습관을 길러보세요. 어쩌면 지금까지 존재하지 않았던 새로운 제품을 만들 수도 있을 겁니다.

위에서 안 되면 아래에서 한다

하향식 증발증착 기술과 거꾸로 타는 보일러

'윗물이 맑아야 아랫물이 맑다'는 속담은 동서고금을 막론하고 영원히 변치 않을 진리다. 위에 문제가 있으면 아래에도 문제가 생긴다는 세상 이치를 표현한 말이지만, 과학기술 분야만큼은 조금 예외를 둘 필요가 있다. '위'에서 문제가 발생했을 때 이를 '아래'에서 해결하는 것이 과학기술의 힘이기 때문이다. '상향식'으로 이루어져 있던 기존 제품들의 문제를 '하향식'으로 해결한 '신개념 증발증착 기술'과 '거꾸로 타는 보일러'가 바로 그런 경우다.

상향식에서 하향식으로

스마트폰 액정이나 TV의 유기발광 다이오드OLED 같은 디스플레이는 품질 향상을 위해 코팅 공정이 필요한데, 일반적인 디스플레이의 코팅 방식과는 조금 다르다. 디스플레이 기판을 천장처럼 높은 곳에 매단 후 아래에서 코팅 재료를 가열하면 재료가 녹으면서 증발한다. 이때 증발된 기체 속에 들어 있는 분자 형태의 재료들이 기판에 붙으면서 코팅이 이루어지는 것이다.

'상향식 증발증착'이라는 이름의 이 코팅 기술은 디스플레이 제품이 상용화되기 시작하면서 산업계가 줄곧 사용하던 유일한 방식이었다. 그런데 OLED 기판의 크기가 점점 커지면서 문제가 발생하기 시작했다. 과거에는 수십 센티미터에 불과했던 가로세로 길이가 몇 미터가 될 정도로 커지다보니 코팅 시 기판이 아래로 늘어진 것이다. 코팅의 특성상 기판 지지대를 네 귀퉁이에만 설치할 수밖에 없기 때문에 나타나는 불가피한 문제였다.

한국표준과학연구원 나노측정센터 이주인 박사와 연구진은 그 '어쩔 수 없다'는 현상을 그대로 받아들일 수 없었다. 문제는 대형 기판이었다. 소형 기판과 달리 대형 기판은 중력 때문에 아래로 휘어지기만 했다. 연구진은 이를 극복할 수 있는 방식을 고민하다가 기판 코팅 작업을 천장이 아니라 바닥에서 하는 역발상적 공정을 떠올렸다. '상향식' 방식을 고집하던 고정관념이 '하향식' 방식으로 바뀌는 순간이었다.

하향식은 기판이 바닥에 깔린 형태로 작업하기 때문에 상향식 공정에서 발생하던 문제는 나타나지 않았다. 하지만 또 다른 문제가

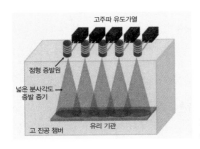

기판이 바닥에 깔린 형태로 작업하는
하향식 증발증착의 원리(한국표준과학연구원)

발생했다. 공기 중의 먼지나 오염물질이 기판 위에 떨어지면서 품질이 떨어진다는 점이었다. 연구진은 3년여의 노력 끝에 기판이 휘어지는 현상을 극복하면서도 오염물질이 떨어지지 않는 무결점 하향식 증발증착 기술을 개발했다.

이 기술은 OLED 같은 디스플레이 분야는 물론 태양전지나 특수 코팅 분야 등에도 활용될 수 있을 것으로 전망된다.

조금의 열에너지도 버리지 않는다

역발상 기법은 보일러에도 적용되고 있다. 보일러의 기본 원리는 연료를 태워 생기는 열에너지를 난방용으로 사용하는 것인데, 일반적인 보일러의 연소 방식은 아래에서 위로 타올라가는 상향식 구조로 이루어져 있다.

이러한 구조는 연소가 안정적으로 이뤄진다는 장점이 있지만, 연소한 열에너지를 붙잡고 있는 시간이 짧아서 열 손실이 크다는 단점도 가지고 있다. 실제로 상향식 구조의 가정용 보일러는 열에너

폐열을 최대한 활용하는 거꾸로 타는 보일러의
내부(귀뚜라미보일러)

지 효율이 평균 40~50% 정도에 지나지 않는다. 이처럼 버려지는 다량의 열에너지 효율을 조금이라도 더 높이려는 생각에서 시도한 역발상의 결과가 바로 하향식 연소 구조를 가진 '거꾸로 타는 보일러'다. 이 보일러는 연소 버너를 보일러의 윗부분에 설치해 발생하는 열에너지가 최대한 보일러 안에 오래 머물 수 있도록 설계했다.

이를 개발한 귀뚜라미 보일러는 "불꽃은 아래로부터 위로 타면서 올라간다는 고정관념을 깬 것이 '거꾸로 타는 보일러' 개발의 일등 공신이다. 이를 통해 핵심기술이라고 할 수 있는 '하향식 연소 기술'을 개발할 수 있었다."라고 밝혔다. 난방 전문가들은 지구온난화와 에너지 수급 문제로 모든 업체가 연료를 적게 사용하는 보일러 개발에 사활을 걸고 있는 상황에서 불꽃의 연소 방향을 바꿔 열효율을 높인 역발상을 높게 평가했다.

그렇다고 거꾸로 타는 보일러에 전혀 문제가 없는 것은 아니다. 일부 전문가는 하향식 연소방식이 상향식 연소에 비해 배기가스 배출이 원활하지 않다는 점을 지적하고 있다. 또한 연소가 불완전하다는 점과 그을음 등이 쉽게 발생하는 점 등도 조속히 해결해야 할 숙제다.

$\cdots$

'원래 그랬어'라거나 '관행이야'라는 말을 그대로 따랐다면 '하향식 증발 증착 기술'과 '거꾸로 타는 보일러'는 탄생하지 못했겠죠. 물론 역발상으로 기존 방식과 다른 방법을 추진하다가 실패할 수도 있습니다. 하지만 실패를 두려워했다면 신개념의 OLED나 효율 좋은 보일러는 결코 만나지 못했을 겁니다.

티끌 같은 에너지도 모으면 태산

자기장 노이즈와 대기 전력

'티끌 모아 태산'이라는 속담은 아무리 하찮고 작은 것이라도 조금씩 모이면 큰 규모가 된다는 말이다. 보통 돈을 모으고 불리는 재테크에 언급되는 속담이다. 하지만 일상생활에서 수없이 발생하는 미세한 에너지를 버리지 않고 모아서 다시 사용하는 에너지 분야에서도 이런 사례가 있다. '자기장 노이즈를 통한 전기에너지 생산'과 '대기전력 차단으로 모은 에너지 기부'를 티끌 모아 태산이라고 할 수 있을 것이다.

자기장 노이즈를 전기에너지로 변환

우리 주변에는 매연이나 먼지처럼 알게 모르게 발생했다가 사라지는 것들이 많다. 자기장 노이즈magnetic field noise 역시 그중 하나로, 이는 전자제품 제조나 기계제어 분야에서 주로 기계 동작을 방해하는 전기적 신호를 가리킨다.

높은 전류가 흐르는 송전선이나 지하철, 또는 공장 설비 등을 작동시키면 끊임없이 자기장 노이즈가 흘러나오는데, 지금까지는 시스템 운영을 방해하거나 인체에 유해하다는 이유로 제거 대상으로만 여겼던 자기장 노이즈를 에너지로 변환하는 기술이 개발되어 이목을 끌고 있다. 일상에서 수없이 발생했다가 버려지는 미세한 자기장 노이즈를 전기에너지로 바꾸는 역발상 기술이 개발된 것이다.

기술 개발의 주인공은 재료연구소 분말세라믹연구본부 연구진이다. 이들은 인하대학과 미국 버지니아공과대학 공동 연구를 통해 '자기장 에너지 하베스팅energy harvesting 복합소재 및 발전 소자'를 개발했다. 에너지 하베스팅이란 빛이나 열, 또는 진동이나 전자기 등이 갖고 있는 에너지를 수확해 에너지원으로 사용하는 기술이다. 온도차가 발생할 때나 압력을 줄 때 전류가 흐르는 열전효과와 압전효과, 빛에너지로 전기가 발생되는 광전효과 등 과학적 원리를 기반으로 에너지를 생산할 수 있는 기술을 모두 포함한다.

연구진은 에너지 하베스팅 관련 연구를 하던 중 송전선이나 지하철, 공장처럼 전력이 흐르는 곳의 주변에 미세하지만 일정하게 60헤르츠Hz 주파수를 가진 10가우스G 이하의 자기장 노이즈가 존재한다는 사실을 발견했다. 이 현상에 착안한 그들은 미세 자기장 노

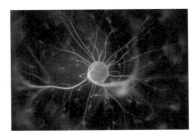

자기장 노이즈를 전기에너지로 변환시키는 에너지 하베스팅 기술이 주목을 받고 있다.

이즈를 활용해 실제 사용 가능한 전기에너지로 변환할 수 있는 스마트 복합소재를 개발했다. 그리고 이 소재를 활용하여 별도의 외부 전원 없이도 무선 센서 네트워크를 구동하는 데 성공했다.

재료연구소가 스마트 복합소재를 개발하기 전에도 버려지는 자기장을 이용한 에너지 하베스팅 기술이 없었던 것은 아니다. 대부분 수많은 코일을 감아서 유도전기를 발생시키는 방식으로 에너지를 모으는 방법이었다. 하지만 이 방법은 코일의 부피와 부품이 작아지면 효율이 급격히 떨어지는 문제점이 있어서 실제 사용에 한계가 있었다.

연구진은 이런 문제를 해결하기 위해 '압전 재료'와 '자기변형 재료'를 복합화하는 방법으로 새로운 복합소재를 개발했다. 압력을 가하면 전압이 발생하거나, 전압을 가하면 변형이 발생하는 '압전 재료'와 자기장을 만나면 변형되는 '자기변형 재료'를 복합화하여 미세한 자기장 노이즈를 전기에너지로 바꾸는 기술개발에 성공할 수 있었다.

IoT가 탑재된 멀티탭의 대기전력을 스마트폰 어플리케이션으로
집계해 저개발 국가에 에너지를 기부한다.

자기장 노이즈를 통한 전기에너지 생산기술이 전문 분야에 종사하는 과학자들에 의해 개발된 사례라면, 전기저금통을 활용해 대기전력을 모은 에너지 기부 프로젝트는 아마추어 과학자들에 의해 탄생한 에너지 하베스팅 사례다.

대기전력이란 전원을 꺼도 플러그를 통해 소모되는 전력으로, 가정에서 소비되는 전력의 약 11% 정도에 이른다. 대기전력만 효과적으로 줄여도 1년에 한 달은 전기를 공짜로 쓸 수 있을 정도다. 콘센트에 코드가 꽂혀 있으면 대기전력이 낭비된다는 점을 아는 사람은 사실 많지 않다.

대학생으로 이루어진 '너의 빛이 보여'는 정부에서 주최한 공모전에 참여하기 위해 결성된 동아리였다. 이들은 낭비되는 대기전력을 차단한 뒤, 이를 통해 절약한 미세한 에너지를 모아 아프리카의 가난한 국가들에 기부한다는 아이디어로 수상의 영예를 안았다.

아이디어의 핵심은 사물인터넷IoT 시스템이 탑재된 멀티탭과 어플리케이션 프로그램 개발이다. 멀티탭에서 실제로 대기전력이 흐르지는 않는다. 탑재된 IoT가 멀티탭에 연결된 가전제품의 전기 사용량을 파악한 후 전원이 꺼져 있을 때 발생하는 대기전력의 양을 스마트폰 어플리케이션으로 집계한다. 사용자는 집계된 양만큼의 에너지를 저개발 국가에 기부할 수 있다.

어플리케이션을 통해 전원을 차단하는 기술과 모은 에너지를 간편하게 기부할 수 있는 시스템이 더해져 역발상적 아이디어가 현실화된 사례다.

. . .

자기장에 의한 전기신호나 대기전력 같은 미약한 에너지가 모이면 거대한 에너지가 된다는 사실은 놀라우면서도 미래를 낙관하게 합니다. 화석연료 고갈이나 원자력의 위험성처럼 현재 우리가 직면한 에너지의 한계를 극복할 수 있다는 희망 때문입니다. 머지않은 미래에는 에너지 하베스팅 기술이 상용화되어 에너지 걱정이 필요없는 때가 오지 않을까요?

현실에서 어렵다면 가상에서 한다

가상 공장과 가상 발전소

'모로 가도 서울만 가면 된다'라는 속담이 있다. 원하는 결과를 얻기 위해 다양한 방법을 사용한다는 이 속담은 과학기술 분야에서도 적용되고 있다. 가상현실 기술의 발전으로 현실에서 해결하지 못하는 문제들을 가상공간을 통해 풀어가는 방식도 그 가운데 하나다. 현실에서는 더 이상 혁신적인 방법을 기대하기 어려운 '생산 최적화'와 '에너지 확보'라는 과제를 가상의 공간을 통해 해결하는 '가상 공장'과 '가상 발전소'가 대표적이다. 가상공간에서 미리 물건을 만들어보거나 남는 에너지를 거래하면서 비용을 절감하고 시간을 단축하는 연구가 진행되고 있다.

비용은 줄이고 효율성은 높인 가상현실 기술

글로벌 자동차그룹 메르세데스벤츠는 'Industry 4.0'이라는 계획을 발표하면서, 가상의 공간에서 조립하는 기술을 집중적으로 개발하겠다고 밝혔다. 이 기술은 작업자가 부품을 손에 들고 조립하는 동작을 취하면, 센서가 이를 인식해 고글 형태의 디스플레이 화면에 실제로 조립하는 것과 같은 가상의 영상을 보여준다.

예전에는 시험생산을 위한 테스트에도 고가의 부품과 장비를 사용하면서 많은 비용이 들었다. 하지만 가상 조립기술을 활용하면 실제 조립 과정에서 발생할 수 있는 문제점을 미리 파악할 수 있기 때문에 비용을 획기적으로 줄일 수 있다. 포드나 GM 같은 자동차 제조사는 여기서 한발 더 나아가 개발부터 제조단계까지 전 과정에 가상 조립기술을 활용하고 있다. 공장의 숙련 기술자에게 조립 과정을 가상으로 체험하도록 한 뒤, 이들의 의견을 반영해 가장 효율적인 방식으로 제조라인을 꾸미는 것이다.

가상현실 기술을 활용한 효율적 생산 시스템 개발은 국내에도 본격적으로 도입되고 있다. 경기도 하남시에 위치한 벤처센터에 중소기업의 생산 혁신을 지원하는 '3D 가상기술 산업지원센터'가 들어섰다. 이 시설에서는 제조업체가 공정 설치나 개선 작업을 추진하기 전에 가상 시뮬레이션을 통해 생산 라인을 미리 제작해볼 수 있다. 한마디로 중소 제조업체의 생산최적화를 위한 전문 지원시설이라 할 수 있다.

인더스트리 4.0을 통해 조립하는 메르세데스벤츠

센터는 공장자동화FA를 제어하는 산업용 제어 컨트롤러PLC와 가상조립 시뮬레이터, 전문 소프트웨어 등을 갖추고 있다. 제조업체가 공장 설계도를 가져와 장비와 라인구성 요소를 입력하면 공장의 가동 상태와 오류 발생 우려 지점, 그리고 최적의 생산효율 포인트 등을 사전에 파악할 수 있다.

센터에서는 "본격적인 생산에 앞서 제조 과정을 시뮬레이션하면 실제 제조했을 때 발생할 수 있는 오류를 최소화할 수 있고, 최적의 생산효율을 찾는 기간도 줄여준다. 대기업처럼 대규모 투자가 어려운 중소기업이 저렴한 비용으로 최대의 효과를 누릴 수 있다."라고 밝혔다.

절약만으로 에너지를 생산하는 가상 발전소

가상현실하면 대부분 시뮬레이션 기술을 떠올리지만 그게 다가 아니다. 현실에서는 찾아볼 수 없지만, 언제라도 가동이 가능하고 에너지를 판매해 수익을 올릴 수 있는 '가상 발전소' 같은 거래 시스템도 존재한다.

LED 램프 같은
전기절약 기술 개발이 중요한 네가와트 시장
(Geoffrey A. Landis)

자동차가 다니는 도로에 러시아워가 있는 것처럼, 전기도 사용자가 몰리는 피크 시간대가 있다. 그런데 전기가 부족해지는 피크 시간대에 누군가 아껴놨던 전기를 제공한다면 어떤 상황이 벌어질까. 아마도 발전소를 추가로 가동하거나 새로 지을 필요가 없어지기 때문에 전기 공급 회사는 물론 국가적 입장에서도 상당한 도움이 될 것이다.

가상 발전소는 이처럼 전력이 부족한 시간에 절전이나 자가발전 등을 통해 모아둔 에너지를 대신 제공하는 시스템을 말한다. 화력발전소처럼 오염물질을 배출하지도 않고, 신재생에너지 발전소처럼 환경과 경관을 훼손하는 일도 없다. '모아둔 에너지 제공이 얼마나 경제성이 있을까'라는 의구심이 들겠지만, 아래의 사례에서 답을 찾을 수 있다.

2016년 서울 소재 16개 대학이 에너지 절약과 발전소 줄이기 정책의 일환으로 가상 발전소 사업에 참여했다. 참여 대학은 1년 동안 절약한 에너지를 전력거래소가 운영하는 수요자원 거래시장에 판매해

메타버스 시스템으로 진화하는 가상현실 기술
가상현실 기술은 현실감을 높여 실제처럼 보이게 만드는 증강현실(AR) 기술이나 가상과 현실을 섞어놓은 듯한 혼합현실(MR) 등과 융합하여 새로운 가상현실 개념인 메타버스(metaverse)로 진화하고 있다. 메타버스란 초월이란 의미를 가진 메타(meta)와 현실세계를 뜻하는 유니버스(universe)를 합성한 용어로, 기존의 가상현실보다 확장된 시스템으로 주목받고 있다. BTS는 신곡 '다이너마이트'를 메타버스 시스템 기반의 소셜공간에서 발표했다.

연간 2억 원의 수익을 올릴 수 있었다. 수요자원 거래시장은 에너지를 거래할 수 있도록 정부가 구축해놓은 가상의 공간이다. 판매자는 전기료가 싼 심야나 새벽 시간대에 에너지를 확보한 뒤, 전기가 부족한 시간대에 비싼 값에 팔아 이익을 창출한 것이다.

이런 이유로 수요자원 거래시장을 네가와트$_{negawatt}$ 시장이라고 부른다. 네가와트란 전력의 단위인 메가와트$_{Megawatt}$와 부정의 의미를 가진 네거티브$_{Negative}$를 조합해 만든 신조어로, 전기를 새로 생산하지 않고 절약을 통해 만든다는 뜻이다.

현재 운영되고 있는 네가와트 시장에는 서울 소재 16개 대학 외에 지방자치단체로는 처음으로 서울시가 참여하고 있다. 시 소유의 건물과 17개 사업소 시설이 함께 시간당 5메가와트의 전기를 아껴서 판매하고 있는데, 이는 5메가와트급 발전소를 지은 것과 같다.

수직이 어렵다면 수평으로 해결한다

좌우로 움직이는 엘리베이터와 선박 육상건조 공법

무슨 일이든지 한 가지 일을 끝까지, 그리고 꾸준하게 해야 성공할 수 있다는 뜻의 '우물을 파도 한 우물을 파라'는 속담이 있다. 맞는 말이기는 하지만 다른 한편으로는 운도 따라야 한다. 지하수가 아예 없는 곳에서 계속 우물을 파는 것은 헛수고이기 때문이다.

그런데 과학기술 분야에서는 이런 난감한 상황을 오히려 새로운 시장 창출의 기회로 삼는 경우가 있다. 포화상태에 이른 엘리베이터 시장과 더 이상 도크를 확장할 수 없는 조선업계에서는 역발상으로 한 우물을 계속 팔 수 있는 새로운 활로를 찾았다. 바로 '옆으로 가는 엘리베이터'와 '옆으로 미는 선박 육상건조 공법'이다.

수직과 수평으로 움직이는 엘리베이터

엘리베이터의 핵심은 사람이나 사물을 건물의 위나 아래로 빠르게 이동시키는 것이다. 엘리베이터가 만들어진 이후 160여 년 동안 많은 발전을 하면서도 이 개념만큼은 결코 변하지 않았다. 그런데 독일 티센크루프ThyssenKrupp가 개발하고 있는 멀티MULTI라는 신개념 엘리베이터 때문에 근본적인 변화를 맞고 있다. 이 엘리베이터는 수직뿐만 아니라 수평으로도 이동이 가능하다.

수직으로만 움직이는 기존 엘리베이터의 가장 큰 단점은 한 개의 통로에 한 개의 엘리베이터만 운행한다는 것이다. 이 같은 비효율적 구조는 저층 건물에서는 별다른 문제가 없지만, 고층 건물의 경우는 엘리베이터를 타기 위해 수많은 사람이 기다려야 할 때도 있다. 문제해결을 위해 여러 대의 엘리베이터를 설치하기도 하지만, 비용이나 공간 확보라는 측면에서 바람직하다고 볼 수 없는 시스템이다.

반면에 멀티 엘리베이터는 수직은 물론 수평 방향으로도 통로를 만들어 다수의 엘리베이터를 운용하는 것이 핵심이다. 작동 원리도 기존 엘리베이터와 달리 엘리베이터를 매다는 로프가 아니라 모터를 장착해 수평은 물론 수직 방향으로도 이동할 수 있다. 이러한 기술은 사람들이 건물 내에서 이동하는 방식을 바꾸고, 건축가와 부동산 소유주, 이용자들에게도 새로운 관점을 제시한다.

티센크루프가 역발상 엘리베이터를 개발한 이유는 시장이 포화

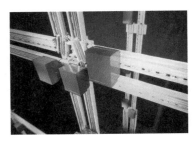

티센크루프가 개발하고 있는
멀티 엘리베이터의 시뮬레이션 한 장면

상태이기 때문이다. 특히 채산성이 높은 고층 빌딩은 신흥 엘리베이터 업체들이 낮은 가격과 짧은 공사일정을 무기로 거세게 시장을 잠식하고 있다. 티센크루프는 "엘리베이터가 오가는 통로가 두 개뿐인 건물이라 하더라도 통로와 통로 사이에 횡으로 연결된 통로만 있으면 열 대 이상의 엘리베이터가 오갈 수 있다."라며 열 개의 통로에 각각 한 대씩의 엘리베이터를 이용하던 기존 방법과 비교할 때 공간과 비용이 엄청나게 절감된다고 밝혔다.

원래 티센크루프는 2020년 10월에 개최될 '2020 두바이 엑스포'에서 멀티 엘리베이터를 공개할 예정이었다. 하지만 코로나19 확산으로 엑스포가 연기되면서 공개 시기도 늦어질 전망이다.

육상에서 건조하는 선박

티센크루프가 시장의 포화상태에서 비용절감을 위해 수평으로 움직이는 엘리베이터를 개발하고 있다면, 현대중공업은 도크가 아닌 육상에서 선박을 건조하는 역발상 설계 공법을 개발했다. 대형 선박의 경우 길이가 보통 300미터를 넘기 때문에 국내에서 이 정도 규

도크의 한계를 벗어난 육상건조 공법
(현대중공업)

모의 도크를 여러 개 지을 수 있는 장소를 찾기가 어렵다. 추가로 도크를 지을 공간이 절대적으로 부족한 상황이 육상건조 공법 개발의 동인이 되었다.

도크는 배를 바다에 띄울 수 있도록 하는 일종의 대규모 웅덩이다. 도크의 규모와 수가 해당 조선업체의 건조능력을 가늠하는 잣대가 될 만큼 선박 건조의 필수 조건으로 여기는 기반시설이다.

현대중공업 연구진은 도크가 아닌 육상에서 기본적인 장비들이 탑재된 블록을 수백 개씩 만든 뒤, 이를 하나하나 용접하면서 조립해 길이 300미터가 넘는 초대형 선박을 건조했다. 육상에서 건조하는 과정은 도크에서보다 수월했지만, 10만 톤이 넘는 선박을 어떻게 바다로 옮기느냐가 문제였다. 워낙 무게가 많이 나가는 선박이라 잘못 힘을 가했다가는 마찰력 때문에 파손될 우려가 높았기 때문이다.

고민 끝에 선택한 방법은 공기부양 방식이었다. 선박 아래로 레일을 설치하고 공기부양 설비를 활용하여 배를 지면에서 약간 올린 후 조금씩 옆으로 밀어 바다에 떠 있는 바지선에 옮기는 방식이었다. 이후 바지선을 수심이 깊은 곳으로 끌고 나가 절반 정도 잠수시킨 뒤 건조된 선박을 바다에 띄우면 육상건조 공법이 마무리되는 것이다. 연구진은 공법을 완성시키기 위해 물 아래로 완전히 가라앉는 특수 바지선까지 제작했다.

현대중공업은 "얼핏 보기에 원리는 간단하지만 고가의 선박을 육상에서 건조하여 손상 없이 바다에 옮기기 위해 작업 단계마다 한 치의 오차도 없는 정밀함이 요구됐다. 이 방법이 성공함으로써 추가로 도크를 지을 땅이 없는 국내 조선업체들의 고민이 해결됐고, 동시에 도크의 제한에서 벗어나 선박을 건조할 수 있는 계기가 됐다."라고 밝혔다.

· · ·

실패를 하고 나면 막다른 골목에 와 있다는 생각을 합니다. 길을 막은 담을 뛰어넘을 수 있는 사다리가 보이지 않기 때문이죠. 하지만 그럴 때 위를 보던 시선을 옆으로 돌리면 오른쪽이나 왼쪽에 탈출구가 있을 수도 있습니다. 물론 그냥 탈출구가 보이지는 않습니다. 과학기술이 기반이 된 역발상적 생각을 시도할 때 비로소 탈출구가 보입니다.

전혀 예상치 못한 미래 경쟁자

GE 경쟁자는 SW업체, ZARA 경쟁자는 3D프린터

"구글의 가장 큰 경쟁자는 검색사이트 빙Bing이나 야후Yahoo가 아니다. 바로 전자상거래 업체의 거인 아마존Amazon이다." 세계 최대 검색사이트인 구글 전 회장 에릭 슈미트Eric Schmidt가 한 말이다. 어째서 '검색'의 대명사인 구글이 동종업계에 몸담고 있는 빙이나 야후가 아니라 엉뚱하게도 아마존을 경쟁 대상으로 꼽았을까?

이에 대해 슈미트 전 회장은 "아마존에서 직접 검색해 물건을 사는 사람들이 늘고 있다. 그런 사람들이 많아질수록 구글에서 검색하는 사람들이 줄어들고, 광고를 보는 사람들도 감소할 것이기 때문"이라고 답변했다. 당장의 경쟁 상대보다는 잠재적 경쟁자에 대해 더욱 초점을 맞추고 있다는 설명이다.

구글처럼 글로벌 시장 강자들은 자신들의 경쟁자를 동종업계가 아닌 다른 분야에서 찾고 있다. 이른바 '역발상적 경쟁자들'이다. 처음에는 번지수를 잘못 찾은 것이 아닌가 생각할 수 있지만, 이면을 들여다보면 앞으로 전개될 미래 시장의 패권을 선점하기 위한 치밀한 전략이 숨어있음을 파악할 수 있다.

제조업의 대명사 제네럴일렉트릭GE과 캐주얼의류의 아이콘 가운데 하나인 자라ZARA도 그런 경우다. 소프트웨어 서비스 업체를 경쟁자로 지목하고 있는 GE와 3D프린터를 모방해야 할 경쟁자로 삼은 ZARA의 전략 역시 역발상에서 나왔다.

SW기업으로 변신하려는 제조의 아이콘

발명왕 에디슨이 설립한 GE는 제조업의 대명사이다. 설립 당시인 19세기 후반부터 20세기 초반에는 전기조명 제품의 생산으로 성장의 기틀을 다졌고, 이후에도 엔진과 의료기 등의 제조를 통해 최고의 하드웨어HW 제조업체로 자리매김했다.

그런 GE가 2020년이 지나가기 전까지 소프트웨어SW 분야의 전 세계 톱10 기업이 되겠다는 목표를 세웠다. GE의 전 최고경영자였던 제프리 이멜트Jeffrey Immelt가 사내 컨퍼런스에서 이 같은 비전을 밝혔다. 당시 그는 "이제 우리의 경쟁자는 SAP이나 오라클 같은 대표적인 SW기업들"이라며, "앞으로 주력 품목인 항공기 엔진이나 헬스케어 기기 등도 HW와 SW가 융합된 형태로 개발하겠다."라고 밝혔다.

이멜트 전 회장의 발표는 곧이어 공개된 '프리딕스Predix'를 통해 조금씩 실현되고 있다. 프리딕스는 HW에 빅데이터를 관리·분석하는 SW를 탑재해 고객의 생산성을 높이는 서비스까지 함께 팔겠다는 GE의 전략이 고스란히 포함된 '산업인터넷 SW 플랫폼'이다. GE는 이멜트의 공언처럼 기존의 HW 제품을 SW와 융합한 제품과 서비스를 고객에게 제공하고 있다.

예를 들면 비행기 엔진이 대표적인 경우다. 과거에는 엔진 한 대당 500만 달러를 받고 파는 것에 그쳤다. 하지만 현재는 매달 20만 달러를 받고 엔진을 관리해주는 패키지 서비스를 함께 팔고 있다. 즉 비행기 엔진에 센서를 부착해 엔진 상태를 미리 파악해주고, 필요한 검사를 지원하는 서비스에 대해 요금을 받는 판매 시스템을 구축한 것이다. 이에 대해 GE는 어느 항공사라도 GE 엔진이 탑재된 비행기로 운항한다면, 패키지 구입을 통해 안전에 대한 걱정을 훨씬 덜 수 있을 것이라고 강조했다.

3D프린터가 패션 브랜드의 경쟁자

전 세계 패스트패션 브랜드 시장의 빅3라고 하면 대부분 ZARA, UNIQLO, H&M 등을 꼽는다. 따라서 ZARA 직원에게 경쟁사를 물으면 당연히 UNIQLO나 H&M이라고 답할 것이다. 하지만 ZARA 아만시오 오르테가Amancio Ortega 회장은 조금 다른 시각에서 경쟁자들을 바라봤다. ZARA의 경쟁자로 기업이 아닌 의류 출력 시

패스트패션 브랜드 ZARA는
의류업체가 아니라 3D프린터를 경쟁자로 꼽았다.

스템, 다시 말해 옷을 즉시 만들 수 있는 3D프린터를 꼽은 것이다.

그는 "소비자가 디자인한 후 원하는 소재를 사용해 즉석에서 옷 한 벌을 제조할 수 있기 때문"이라고 설명하며 "3D프린터의 등장으로 기존 패션의류 개발 과정이 일대 변혁을 맞을 것"이라고 전망했다.

오르테가 회장의 말대로 예전의 의류 개발 과정은 아무리 빨라야 2~3일 정도가 걸리는 패턴이었다. 디자이너가 샘플을 스케치로 그린 뒤 제품 사양을 적어 샘플 제작사에 보내고, 하루나 이틀 후에 나온 샘플을 다시 수정하거나 그대로 사용하는 방식으로 진행됐다.

하지만 3D프린터를 사용하면 번거롭게 샘플이 오고가는 과정이 사라진다. 즉석에서 바로 출력해 샘플을 확보할 수 있기 때문이다. 디자이너가 샘플을 제작하는 데 들어가는 시간을 절약할 수 있는 만큼 고객이 원하는 바를 알아내는 데 더 많은 시간을 쓸 수 있다는 것이 오르테가 회장의 설명이다.

이에 대해 이봉진 자라코리아 대표도 힘을 실었다. 그는 과거 컨퍼런스에서 패션 경쟁력의 핵심은 생산에서 소비에 이르는 시간의 단축이며 ZARA의 성공 요인도 시간 단축이라고 언급했다.

실제로 3D프린터 기술은 패션의 시간을 획기적으로 단축시켰다. 미래에는 3D프린터에 의한 패션이 오늘날의 스마트폰 어플리케이션처럼 하루에도 수백 개 생겨났다가 사라지는 형태가 될 것이라는 예측이 있을 정도다.

· · ·

제4차 산업혁명이 모든 산업을 융합시키면서 경계의 벽이 사라지고 있습니다. 지금까지는 전혀 상관없던 기업이 조만간 경쟁업체로 등장할 수 있다는 말이기도 하죠. 이런 변화에 적응하려면 끊임없이 연구하고 지속적으로 네트워크를 구축하며 통섭형 인재로 거듭나야합니다.

지금은 우스워도 미래에는 대박

다리 달린 레일버스와 외발형 전기 스쿠터

"미래에는 효과적으로 사용될 아이디어라도, 현재 시점에서 보면 우스꽝스럽게 보일 때도 있는 법이다."

앨빈 토플러Alvin Toffler와 함께 미래학 분야의 쌍두마차라 불리는 하와이대학의 짐 데이터Jim Dator 교수의 말이다. 시대를 앞섰다고 평가받는 역사적 아이디어들도, 당시의 시각에서는 황당하고 비합리적인 망상으로 비춰졌을 수 있다는 의미다. '다리가 달린 레일버스'와 '외발 전기 스쿠터'도 이와 같은 평가를 받고 있다. 다소 엉뚱하게 보이는 외관을 갖고 있지만, 먼 훗날에는 대표적인 교통수단으로 예측되는 발명품이다.

버스 밑으로 자동차가 지나다니는 레일버스

2016년 베이징에서 개최된 하이테크엑스포에서는 그때까지 볼 수 없었던 신개념 운송수단이 선보였다. 도로 양쪽 끝에 레일을 깔고, 그 위에 5미터 길이의 지지대를 단 2층 규모의 거대한 도심열차였다. 일명 '스트래들링straddling 레일버스'로 불렸던 이 운송수단의 이름은 '다리를 벌리고 있다'라는 의미의 스트래들straddle이란 단어에서 유래됐다.

스트래들링 레일버스의 가장 큰 특징은 버스 몸체를 지지하고 있는 다리 사이로 택시나 버스 같은 다른 교통수단들이 지나다닌다는 점이다. 이 같은 모습이 마치 터널이 움직이는 듯 보이기 때문에 스트래들링 레일버스는 '터널 열차'라고도 불렸다.

레일버스는 1969년 미국의 젊은 두 건축가가 처음 고안해냈다. 그들은 당시 뉴욕의 교통정체를 해소할 방안을 궁리한 끝에 기발한 아이디어를 떠올렸다. '랜드라이너Landliner'라는 이름의 이 열차는 기존 교통수단에 방해가 되지 않으면서 일정한 시간마다 승객을 태우고 내리게 하는 시스템이었기 때문에, 교통정체를 획기적으로 줄이는 아이디어로 평가받았다.

하지만 랜드라이너는 실현되지 못한 채 아이디어로만 존재했다. 사람들의 뇌리에서 사라져가던 랜드라이너가 40여 년이 지난 2016년에 미국이 아닌 중국에서 부활했다. 중국 선전의 미래주차설비 회사 창업자이자 발명가 쑹유저우宋有洲가 하이테크엑스포에 랜드

2016년 베이징 하이테크엑스포에서 선보인
스트래들링 레일버스

라이너와 흡사한 스트래들링 레일버스를 출품한 것이다.

전시장에 등장한 레일버스는 실제보다 축소된 모델이었지만, 실제 크기는 60미터 길이에 2.2미터 높이의 거대한 규모다. 2층인 레일버스 몸체는 승객이 탑승하는 공간이고, 다리 역할을 하는 지지대가 있는 아래층은 승하차 공간이다. 레일을 따라 운행하다가 정거장에 도착하면 열차 내에 장착된 엘리베이터를 이용하여 승하차를 한다.

레일버스는 관람객으로부터 많은 주목을 받았는데, 특히 엑스포를 주최한 베이징시의 관심이 대단했다. 독특하지만 약간은 우스꽝스럽게 생긴 이 운송수단에 관심을 기울인 이유는 날로 심각해지고 있는 베이징시의 교통정체 때문이었다. 매년 2000만 대가 넘는 자동차가 쏟아져 들어오는 중국의 신차 시장을 고려할 때 시의 교통 악화는 불 보듯 뻔했다. 한 번 운행에 일반 버스 50대와 맞먹는 수송 능력을 가진 레일버스에 베이징시가 관심을 가지는 것은 당연한 일이었다.

스트래들링 레일버스를 디자인한 쑹유저우는 레일버스의 가장

미래 교통수단으로 주목받는
외발형 전기 스쿠터 리노(www.rynomotors.com)

큰 장점은 수송능력과 경제성이라고 밝히며, 지하철에 뒤지지 않으면서도 건설비용은 지하철보다 훨씬 저렴하고, 제작비용과 건설기간도 각각 지하철의 5분의 1에 불과하다고 덧붙였다.

휴대가 간편한 미래의 교통수단

'외발형 전기 스쿠터'는 사람들이 탑승자를 외발자전거를 타는 서커스 단원으로 착각하도록 만드는 외관을 갖고 있다. 전기로 작동되는 외발 스쿠터의 이름은 '리노RYNO'로 최고 속도가 시속 40킬로미터에 불과하다. 하지만 90분 충전으로 80킬로미터 정도를 주행할 수 있기 때문에 도심에서 출퇴근 용도로 사용하기에는 전혀 불편함이 없다.

외발이다 보니 안전성을 우려하는 사람들이 많지만 넘어지지 않기 위해 오랜 연습이 필요한 외발자전거와 달리 리노는 절대로 넘어지지 않는다는 것이 개발업체의 설명이다. 자세 제어 기술과 균형 센서가 탑재된 자동 균형유지 장치가 탑승자들로 하여금 손쉽게 균형을 잡을 수 있도록 한다는 것이다. 또한 리노는 상체의 기울임을 통해 속도가 조절되도록 설계되어 있다. 탑승자가 몸을 앞으로 구부려 안장이 앞으로 기울여지면 자동으로 속도가 올라가고, 다시 안장을 뒤로 기울이면 속도가 줄어드는 원리다.

리노 모터스는 미래의 교통수단은 휴대가 간편하고 방향전환이 빨라야 한다는 요구에 따라 외발형 스쿠터를 개발했다고 밝혔다. 실제로 이 스쿠터는 엘리베이터를 타고 올라가 현관에 보관할 수도 있고 좁은 골목길에서의 방향전환도 자유롭다.

. . .

'시작은 미약하나 끝은 창대하리라'라는 성경 구절처럼 처음에는 인정을 받지 못하다가 시간이 흐르면서 주목을 받는 사람이나 제품을 볼 수 있습니다. 기술이나 발명품이 대부분이죠. 머릿속에 떠오르는 아이디어가 있으면 두려워하지 말고 용기를 내보세요. 혹시 여러분의 아이디어가 미래의 대박상품일지도 모르잖아요.

단단한 것 같지만 알고 보면 부드럽다

휘어지고 팽창하는 콘크리트

'내유외강內柔外剛'은 겉은 단단하지만 속은 부드러운 사람이나 사물을 표현할 때 사용하는 고사성어다. 외유내강外柔內剛도 마찬가지겠지만 이런 고사성어가 생긴 건 그런 경우가 드물기 때문 아닐까? 일반적으로 겉이 단단하면 속까지 단단하지 부드러운 경우는 많지 않기 때문이다.

하지만 과학기술 분야에서는 내유외강이나 외유내강이 되는 것이 그리 어렵지 않은 일이다. 단단한 것은 부드럽게 변할 수 있고, 부드러운 것도 단단하게 바뀔 수 있다. '구부러지는 콘크리트'와 '팽창식 돔을 만드는 콘크리트'는 딱딱한 물성을 가진 콘크리트가 과학을 통해 부드러운 물질로 변하는 내유외강의 사례들이다.

구부러지는 콘크리트

콘크리트는 저렴하고 단단하며 내구성이 뛰어난 건축 소재다. 도시의 수많은 빌딩과 다리 등이 콘크리트 없이는 만들 수 없었을 만큼,

이 건축 소재는 현대 도시문명을 탄생시킨 주역이다. 그렇다고 콘크리트의 단점이 없는 것은 아니다. 가장 큰 단점 가운데 하나는 변형력과 인장력의 부족이다. 상황에 따라 다르지만, 어떤 때는 약간의 힘만 가해져도 균열이 생기면서 부서지는 경우가 있다.

이러한 문제 때문에 과학자들은 오래전부터 콘크리트의 물성을 변화시키려는 연구를 해왔다. 외부에서 힘이 가해졌을 때, 균열이 생기는 것보다는 차라리 변형되거나 구부러지는 것이 건축 자재로서 효용성이 크기 때문이다. 예를 들어 지진 같은 천재지변이 발생했을 때, 콘크리트의 변형력과 인장력이 지금보다 조금만 더 향상되더라도 건물의 붕괴를 막을 수 있다. 사람의 생명과 안전을 지키는 데 엄청난 도움이 되는 것이다.

그동안 이 같은 물성의 콘크리트는 상상 속에서나 존재했다. 그런데 2016년 싱가포르 난양공과대학 연구진이 콘플렉스페이브ConFlexPave라는 이름의 변형 가능한 콘크리트를 개발했다. 기존 콘크리트에 강한 강도를 지닌 폴리머 마이크로파이버polymer microfiber라는 섬유소재를 투여해 만든 신개념 콘크리트다.

폴리머 마이크로파이버의 굵기는 사람 머리카락보다 얇지만 강

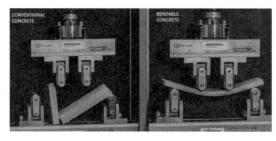

기존 콘크리트와 콘플렉스페이브
콘크리트의 비교실험
(난양공과대학)

도가 높아서 매우 튼튼하다. 덕분에 강한 힘을 가해도 균열이 생기거나 부러지는 대신 구부러지는 특징을 지니고 있다. 물론 구부러진다고 해서 쉽게 휘어진다는 의미는 아니다. 오히려 사람 머리카락보다 가느다란 폴리머 마이크로파이버가 콘크리트 사이를 잡아주는 역할을 하기 때문에 기존 콘크리트보다 두 배의 힘을 받아야 구부러질 수 있다.

연구진은 콘플렉스페이브 같은 특수 콘크리트는 강한 힘을 받아도 균열이 생기거나 부러지지 않아야 하는 구조물, 즉 내진 건물이나 교량, 도로 등에 활용될 수 있을 것이라고 보았다. 아직 장기적인 안전성과 내구성이 확인되지 않은 만큼, 프로토타입의 구조물을 만들어 앞으로 내구성을 확인하면서 상용화 여부를 결정할 계획이라고도 밝혔다.

에어쿠션처럼 팽창하는 콘크리트 돔

오스트리아 비엔나대학의 과학자들은 콘크리트로 이루어진 팽창식 돔dome을 연구해 건설업계의 비상한 관심을 끌었다. 이들이 개발 중

팝업 방식의 건축물인 팽창식 콘크리트 돔

인 팽창식 돔은 강철 케이블과 철골 구조물로 골격을 만든 뒤에 특수 강화 콘크리트를 입혀 부풀어 오르게 만드는 '팝업pop-up' 방식의 건축물이다. 바둑판처럼 연결된 강화 콘크리트 판은 플라스틱 에어쿠션과 연결되어 있어서 공기를 주입하면 돔 모양으로 펼쳐질 수 있도록 설계되었다.

연구진이 공개한 현장 테스트 동영상을 살펴보면 약 3미터 지름의 돔을 팽창시키는 데 2시간 정도가 걸리는 것으로 나타났다. 각 콘크리트 판에는 균열이 난 것 같은 주름이 존재하는데, 그렇게 보이기만 할 뿐 콘크리트 판의 강도에는 아무 문제가 없다.

팽창식 콘크리트 돔 프로젝트를 책임지고 있는 요한 콜레거Johann Kollegger 교수는 "일단 팽창이 시작되면 각각의 콘크리트 판이 이글루처럼 서로를 지지하는 방식이기 때문에 매우 튼튼하다. 현재까지는 3미터 지름으로 테스트했지만, 이런 방식으로 건설할 수 있는 한계가 지름 50미터에 달하는 만큼 훨씬 큰 구조물도 건설할 수 있다."고 자신했다. 무엇보다 팽창형 돔은 건설 기간이 획기적으로 짧아 비용이 적게 들기 때문에, 소규모 강당이나 경기장 등의 용도로 활용할 수 있는 것은 물론 가벼운 무게를 지지할 수 있는 지지대 역할까지 가능하다고 덧붙였다.

건설업계도 팽창식 돔의 안전성만 확보된다면 급하게 건물을 지어야 할 때 무척 유용할 것으로 전망했다. 빠른 시간 내에 건설해야 하지만 운영기간이 길지 않은 군사기지나 임시 대피소 같은 건축물은 팽창식 돔이 가장 적합하다는 의견이다.

바게트 빵이 유럽인의 사랑을 받는 이유는 반전 있는 식감도 한몫을 할 거라고 생각합니다. 겉은 딱딱하지만 속은 부드러운 촉감이 여느 빵에서는 느낄 수 없는 역발상적 재미를 주기 때문이죠. 주변을 돌아보면 이처럼 반전이 있는 일들이 의외로 많습니다. 단단하지만 부드러운 소재가 있다면, 겉은 부드러우면서도 속은 단단한 소재까지 만들 수 있지 않을까요?

바늘허리에 매도 바느질할 수 있다

순서 바꾼 터널굴착 공법과 과정 없앤 제철 공정

'아무리 바빠도 바늘허리 매어 쓰지 못한다'라는 속담은 상황이 아무리 급하더라도 반드시 지켜야 할 일의 순서가 있다는 얘기다. 하지만 실을 바늘허리에만 매도 바느질을 할 수 있는 방법이 있다. 지금 소개하는 '선先 지반보강 터널공법'과 '철강 파이넥스 공법'이 바늘귀가 아닌 바늘허리에 실을 매어 바느질을 한 사례다. 굴착을 먼저 하고 지반보강을 하던 기존의 터널 시공법과 소결과정을 거쳐 환원공정을 진행하던 기존의 철강제조 공법을 혁신적으로 바꾼 것이다.

지반을 먼저 보강한 후 터널을 뚫는다

용마터널은 아차산을 관통해 중랑구와 강동구, 구리시를 연결하는 터널이다. 왕복 4차로에 길이만 해도 2.5킬로미터에 달하는 이런 거대한 터널은 어떻게 뚫는 것일까?

　터널 굴착 방법은 전통적으로 가장 많이 쓰이는 발파식 공법과 최근 들어 각광 받고 있는 비발파식 공법으로 나뉜다. 발파식 공법

NATM : New Austrian Tunneling Method은 공사 기간이 짧고 비용이 저렴하다는 장점이 있지만, 소음이 크고 발파 시 충격으로 지반 구조가 불안정해지는 단점이 있다. 반면에 비발파식 공법TBM : tunnel boring machine method은 공사비용은 비싸지만 소음이 적고 지반 구조의 변화가 적어서 현재의 터널굴착 시장을 주도하고 있다.

그런데 한 중소 엔지니어링 업체가 역발상 발파식 공법으로 시장 점유율을 확대하고 있어 신선한 충격을 안겨주고 있다. 터널시공 전문업체인 ㈜현이앤씨가 선보이고 있는 혁신적 터널굴착 공법은 바로 '선 지반보강 터널공법선지보 터널공법'이다. NATM의 일종이지만 공정 순서에서 차이가 난다. 기존의 NATM은 터널을 굴착한 후에 지반을 보강하는 방식이다. 반면에 선지보 공법은 지반을 먼저 보강한 후 터널을 굴착하는 것으로, 구멍을 먼저 뚫어 지반을 보강하는 못을 단단하게 박은 다음 발파를 하는 방식이다.

언뜻 보면 단순하지만 선지보 공법은 세계터널학회에서도 '발상을 전환했다'는 호평을 받은 혁신적 기술이다. 터널을 건설할 때 상행선과 하행선으로 나눠 두 개의 터널을 별도로 굴착해야 했던 NATM과 달리, 선지보 공법은 터널을 거대하게 하나만 뚫는 관계로 기간과 비

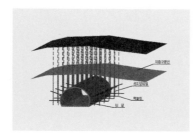

시공이 예정된 터널 주변 지반을 보강해 아칭영역을 미리 확보한 후 터널을 굴착하는 선지보 터널공법 (현이앤씨)

용을 30% 정도 절감할 수 있기 때문이다.

선지보 터널공법의 위력은 시공 실적에서 잘 나타난다. 울산과 포항 간 고속도로의 양남터널과 88고속도로에 위치한 유정터널 등 고속도로에 있는 터널은 물론, 국도터널이나 백운터널 등 지방도로에 있는 터널까지 30여 개의 크고 작은 현장에 적용되었다.

현이앤씨의 서동현 대표는 "선지보 공법은 기존의 NATM과 TBM의 단점들을 보완한 하이브리드형 기술로 KPST한국형 선 지반보강 터널공법란 고유 브랜드를 달고 전 세계 엔지니어링 시장에 진출할 계획"이라고 밝혔다.

분말 원료를 그대로 사용해 쇳물을 만든다

선 지반보강 공법이 터널굴착 업계에 새로운 방향을 제시했다면, 포스코의 파이넥스FINEX 공법은 세계 철강업계에 지각변동을 일으켰다.

파이넥스 공법이란 별도의 예비처리 과정 없이 철광석과 유연탄 분말을 원료로 쇳물을 생산하는 방법을 말한다. 철광석과 유연탄을 사전에 가공하지 않고 사용하는 기존의 코렉스COREX 공법을 한 단

철강 제조에 지각변동을 몰고 온 파이넥스 공법

계 더 발전시킨 방법이다.

기존의 용광로 공법으로 쇳물을 생산하기 위해서는 먼저 철광석과 유연탄 분말을 소결광과 코크스$_{cokes}$라는 일정한 덩어리 형태로 만들어야 한다. 용광로에 강한 열풍을 불어넣을 때 분말 원료들이 날아가는 것을 막기 위해서다. 문제는 소결광과 코크스 제조에 사용되는 고점결성 유연탄$_{Cocking\ Coal}$의 매장량이 많지 않아 상당히 비싸다는 점이다. 따라서 분말 원료를 그대로 활용할 수 있는 제조공법 개발은 글로벌 철강회사들의 숙원사업이었다. 파이넥스 공법의 상용화는 세계 철강 역사를 새로 쓰는 일이었다.

파이넥스 공법의 강점은 경제성과 친환경성이다. 소결광과 코크스를 만드는 과정에는 상당한 비용이 투입되고 다량의 오염물질이 발생하는데, 이 공정과정이 줄어들었기 때문에 비용과 환경 문제가 해결된 것이다. 그렇다고 이 공법이 완전한 것은 아니다. 공정을 단축하기는 했지만, 유동로와 용융로가 동시에 필요해지면서 내부 공정이 더 복잡해졌다는 지적도 있다. 지금도 포스코는 내부 공정 단순화와 여타 문제를 보완하고 있다.

• • •

실은 바늘허리가 아니라 바늘귀에 꿰어야 사용할 수 있죠. 하지만 때로는 바늘허리에 매어 써야 할 때도 있습니다. 상황이 긴박하거나 피치 못한 상황이 발생했을 때 과학의 힘을 빌리면 생각지 못했던 방법들을 찾을 수 있을 겁니다.

오늘의 약점이 내일은 강점으로

비행기 날개 카나드와 위아래로 움직이는 스크린도어

'새옹지마_{塞翁之馬}'라는 말이 있다. 강점이라고 생각했던 것이 약점으로 변하거나, 단점으로 여겼던 부분이 장점으로 바뀌게 되는 경우에도 사용되는 고사성어. 흔히 단점이 장점으로 변하는 경우를 '기적과 같다'라고 표현한다. 태생적인 결함으로 사장될 뻔한 '비행기의 작은 날개 카나드'와 '수직으로 움직이는 스크린도어'도 기술 보완으로 오히려 가치를 더 인정받고 있다.

추락 위험을 줄인 보조날개

항공기가 탄생한 이후 조종사를 늘 괴롭히고 긴장시켜온 문제 중 하나가 바로 '실속_{失速}현상'이다. 글자 그대로 풀이하면 속도를 잃어버린다는 뜻이지만, 실제 의미는 항공기가 '양력'을 잃고 추락하는 상황을 뜻한다. 속도가 충분히 빠른 상태라도 날개의 받음각_{angle of attack}이 커지면 실속에 빠져서 추락할 위험이 높아진다. 받음각이란 항공기 동체가 비행할 때 기류와 이루는 각을 말한다.

과학자들은 오래전부터 항공기가 실속에 빠지지 않도록 엔진 출력을 개선하거나, 주력 날개의 형상을 다시 설계하는 연구를 해왔다. 또한 다양한 소재를 적용하여 동체를 가볍게 하는 방법도 모색했다. 이 같은 연구 끝에 개발된 실속 예방용 보조날개가 바로 카나드Canard다. '오리'라는 뜻의 프랑스어인 카나드는 주력 날개보다 앞쪽에 붙어 있는 작은 날개를 가리킨다.

그런데 실속을 방지하여 동체가 추락하지 않게 보조날개를 만든 것까지 좋았는데 양력에 문제가 생겼다. 주력 날개와 별도로 추가적인 양력이 만들어져 기체가 자주 요동치는 문제가 나타난 것이다. 그때마다 조종사는 급박한 상황에 일일이 반응하고 예측해야 했기 때문에, 카나드가 없을 때보다 조종이 더 어려워졌다.

결국 카나드의 필요성에 대해 전문가들 사이에서 갑론을박이 벌어졌고, 계륵 같은 존재가 되고 말았다. 실속을 예방하는 효과는 분명 있지만, 양력 증가에 따른 흔들림 현상이 발목을 잡은 것이다. 그런데 플라이바이와이어FBW라는 시스템이 등장하면서 상황이 달라지기 시작했다.

FBWFly By Wire란 사람이 예측하기 어려운 비행기 기체의 흔들림 현상을 컴퓨터가 제어해주는 시스템을 말한다. 이 시스템이 등장하

이스라엘 Kfir C-2의 회색 부분이 카나드(Dura-Ace)

면서 카나드의 장점을 살리면서도 비행안정성을 확보하는 길이 열리게 되었다. 특히 FBW는 비행 개념을 완전히 바꿔놓았다. 그때까지는 항공역학적 구조에서 벗어난 항공기는 제작이 불가능하다고 여겨졌다. 스텔스기 같은 형태의 폭격기가 그런 경우였다. 하지만 FBW 시스템의 등장으로 다양한 형태의 항공기 제작이 가능해졌다.

불안정하다고 여겨졌던 결점이 사라지자 카나드는 곧바로 전투기나 수송기에 탑재되었다. 실제로 프랑스의 라팔이나 EU의 유로파이터 같은 전투기는 카나드 장착 이후 이전 기종에 비해 비교할 수 없을 정도로 기동력이 향상된 모습을 보이며 항공업계를 혁신적으로 변화시키고 있다.

위아래로 움직이는 스크린도어

한국교통연구원이 개발한 '수직형 스크린도어'도 현재의 결점이 미래의 강점으로 진화할 수 있는 역발상의 결과물이다.

스크린도어screen door는 기본적으로 엘리베이터와 같은 원리다. 위아래로 움직이는 엘리베이터가 해당 층에 도착하면, 엘리베이터에 달린 문과 각 층에 설치된 바깥쪽 문이 함께 열리는 방식으로 움직인다. 스크린도어도 마찬가지다. 전동차가 지하철 승강장의 정해진 위치에 도착하면 두 문이 동시에 열린다. 그러다보니 스크린도어의 안전문은 좌우로 열린다는 것이 거의 상식이었다.

스크린도어는 그동안 지하철 안전사고를 줄이는 데 많은 기여를 했다. 하지만 설치기간이 길고 비용도 상당히 고가여서 줄곧 단점으로 지적되어 왔다. 특히 안전문 위치가 전동차의 문과 일치해야만 사용이 가능하다는 점은 스크린도어의 활용 범위를 넓히지 못하는 결과를 가져왔다.

이 문제를 해결한 것이 바로 '수직형 스크린도어'다. 이 안전문은 좌우로 길게 배치된 채 위아래로 움직이는 방식이다. 평소에는 안전문이 승강장과 선로를 차단하고 있다가, 열차가 들어오면 사람 키보다 높이 위로 올라가는 것이다. 물론 단점도 있다. 우선 기존 방식과 달리 아래 위가 뚫려 있어서 공기의 흐름을 막을 수 없다. 그러면 겨울에는 냉방 유지가 어렵고, 여름에는 전동차에서 나오는 열기를 막을 수 없다. 또한 안전문이 바닥에 완전히 닿지 않기 때문에 자칫 물건이 그 사이로 떨어질 수도 있다.

그런데도 수직형 스크린도어는 비용이 저렴하고 설치기간이 짧으며, 문 위치에 상관없이 설치할 수 있다는 장점을 갖고 있어서 앞으로 지하철 스크린도어의 새로운 대안이 될 것으로 예상된다. 특히 문 위치가 제각각인 철도의 승강장이나 중앙버스전용차로의 버스정류장에도 설치할 수 있다. 또한 기관사 입장에서도 매번 정확한 위치에 정차할 필요가 없기 때문에 부담을 덜 수 있다.

• • •

살다보면 상황이 역전되는 경우를 볼 수 있습니다. 예전의 약자가 강자가 되고, 쓸모없던 제품이 없어서 못 사게 되는 경우죠. 이렇게 상황이 변하는 이유는 환경의 변화도 있지만, 대부분은 과학기술이 접목되어 진화하는 경우가 많기 때문입니다.

에어컨의 핵심은 온도가 아니라 습도

습도 제어 기반 에어컨

사고의 유연성을 기르기 위해 매사에 고정된 생각을 하는 자세에서 벗어나야 한다는 뜻으로 '관념타파'라는 말을 자주 한다. 하지만 말이 쉽지 행동으로 옮기는 것은 쉽지 않다. 그런데 더운 여름철에 꼭 필요한 에어컨에 고정관념을 탈피한 기술이 들어 있다니 무슨 일일까?

이 같은 의문에 답을 찾으려면 먼저 에어컨의 원리를 알아야 한다. 에어컨의 핵심은 냉매를 사용하여 실내온도를 낮추는 것이다. 문제는 온도를 낮추는 데만 초점을 맞추다보면, 예상치 못한 부작용이 생긴다는 점이다. 예를 들면 전기비용이나 냉방병 같은 문제가 발생하는 것이다. 그런데 국내에서 개발한 '습도 제어 기반 에어컨'은 온도라는 고정관념에서 탈피해 습도에 초점을 맞춘 역발상 기술이다.

온도보다 습기 제거를 우선시한 역발상

에어컨은 1902년 미국의 엔지니어 윌리스 캐리어Willis H Carrier에 의해 개발되었다. 당시 인쇄소에서 일을 하던 그는 여름이면 발생하는 높은 습도로 인쇄물이 제대로 나오지 않자 냉매의 압축팽창 원리를 이용해 주위 온도를 낮추는 냉방장치를 개발했다. 온도가 떨어지면서 실내 습도를 낮춘 이 장치를 발판으로 오늘날 에어컨디셔너air-conditioner라는 실내 냉방장치가 탄생했다.

사용하는 냉매나 장치의 크기, 설계 형태 등은 당시와 많이 달라졌지만, 냉매의 압축팽창 원리를 이용해 온도를 낮춘 뒤 습도를 조절하는 기본적인 원리는 오늘날의 에어컨에도 그대로 적용되고 있다. 하지만 이 같은 방식은 문제가 있었다. 냉매로 온도를 많이 낮춰야만 습도가 제거되기 때문에 냉방병에 걸리기 쉽고 전기를 많이 사용해야 한다는 것이다.

한국과학기술연구원KIST 도시에너지연구단에서는 온도를 낮춰 습기를 제거한다는 기본 개념에서 탈피하여 온도보다는 습기 제거를 우선시하는 방법으로 접근했다. 이대영 단장은 100년이 넘는 에어컨 역사를 돌이켜볼 때 더위의 원인인 습도보다 온도를 낮추는 일에 집중했다는 것이 잘 이해되지 않았다며, 습기를 제거하면 굳이 온도를 낮추지 않아도 불쾌지수를 대폭 낮춰 쾌적한 실내환경을 유지할 수 있다고 밝혔다.

최적의 습도 조절 및 에너지 효율 1등급

KIST 연구진은 본격적인 에어컨 제작에 앞서 폴리아크릴산염poly-acrylate 같은 고분자 제습 소재를 활용하여 제습 효율이 높은 신소재를 개발했다. '휴시트HuSheet'라는 이 신소재는 실리카겔 등 기존의 제습 소재들보다 흡습성이 다섯 배나 높고, 10만 번 정도의 반복시험에도 초기 성능을 그대로 유지하는 특징을 갖고 있다. 또한 탈취와 항균, 항곰팡이 같은 기능성 면에서도 다른 소재에 비해 탁월한 효과를 보였다. 결과에 자신감을 얻은 연구진은 곧바로 연구원 창업기업 휴마스터를 설립해 차세대 에어컨이라 불리는 휴미컨HumiCon을 출시했다.

습도 제어 기반의 에어컨인 휴미컨의 성능을 살펴보면 기존 에너지효율 1등급 전기제습기 대비 효율이 두 배로 세계 최고의 에너지 성능에 도달한 것으로 나타났다. 또한 습도조절을 통해 쾌적한 실내환경을 유지할 수 있고, 과도한 냉방이 불필요하기 때문에 전력 낭비나 냉방병 같은 기존 에어컨의 문제들을 해소할 수 있다.

이대영 단장은 "휴미컨은 냉각이 아닌 제습기반의 공기조화기술을 활용한 습도조절 기반 차세대 에어컨이다. 휴시트를 성형하여 습기필터로 적용했으며, 에너지효율 1등급인 기존의 제습기와 비교해도 제습효율이 두 배가 넘는다."라고 강조했다. 뿐만 아니라 습도 제거 외에 실내 환기 효과를 거둘 수 있는데, 여기에 전기집진식

제습기반의 공기조화기술을 활용한
습도조절 기반 차세대 에어컨 휴미컨(휴마스터)

미세먼지 제거 필터를 추가로 부착하면 미세먼지와 오존 제거까지 할 수 있다.

실제로 국내는 물론 중국과 일본을 비롯하여 동남아, 인도, 북·중·남미 등에 위치한 온난다습 지역에서 휴미컨을 테스트한 결과, 습기 제거를 통해 쾌적한 실내환경을 유지한다는 평가를 받았다. 휴미컨이 본격적으로 시장에 공급되면 연 200조 원으로 추산되는 국내외 주택과 건물, 산업용 에어컨 시장을 상당 부분 대체하거나 보완할 수 있을 것으로 예측된다. 현재는 주택과 건물, 산업용 에어컨 시장을 보고 있지만, 중장기적으로는 냄새와 곰팡이, 그리고 습기 제거가 중요한 자동차용 에어컨 시장에도 진출할 수 있을 것이다.

에어컨 시장 외에도 휴마스터는 습기 제거가 필요한 생활용품 시장 진출을 준비하고 있다. 옷장과 신발장 소재부터 시작하여 냉장고 내부 소재, 박물관 수장고나 마스크 등의 소재를 휴시트가 대체할 수 있을 것으로 기대하는 것이다. 이대영 단장은 "휴시트는 습기와 결로, 곰팡이 문제가 심각한 지하공간의 고질적 병폐를 근본적으로 해결해줄 것"이라고 예측하며 "이 외에도 기능성 섬유와 기능성 포장지, 스포츠용품 등 다양한 산업에 응용해 해당 산업의 기술혁신도 견인할 것"이라고 밝혔다.

휴미컨의 등장에 가장 기대를 걸고 있는 곳은 제로에너지하우스 같이 미래형 주거시설을 준비하고 있는 건설업계다. 제습과 항균·항곰팡이, 공기청정 등의 복합기능을 동시에 구현할 수 있기 때문에 단열로 인한 환기가 강조되는 미래 주거시설에서는 기본설비로 자리 잡을 수 있다. 특히 단열과 기밀 보강 작업으로 제습 부하비율이 크게 증가한 제로에너지하우스의 경우, 탁월한 제습성능을 지닌 휴미컨을 통해 제습 효과와 에너지효율의 획기적인 향상도 얻을 수 있을 것으로 기대하고 있다.

. . .

킹핀(King Pin)은 문제를 해결하기 위한 핵심 요소를 말하죠. 여러 문제점 중 가장 핵심적인 문제를 찾아 이를 해결하면 나머지도 모두 풀릴 때가 있습니다. 그동안 우리는 에어컨의 핵심을 잘 몰랐던 것이 아닌가라는 생각을 해봅니다. 에어컨뿐만 아니라 우리 주변의 사물들을 들러보며 킹핀이 무엇인지를 살펴보는 것도 좋겠습니다.

역발상의 과학
더하고 빼고 뒤집으면 답이 보인다

초판 찍은 날 2021년 01월 22일
초판 펴낸 날 2021년 01월 28일

지은이 김준래

펴낸곳 오엘북스
펴낸이 옥두석

편집장 이선미 | **책임편집** 임혜지
디자인 이호진

주소 경기도 고양시 일산동구 중앙로 1055 레이크하임 206호
전화 031. 906-2647 | 팩스 031. 912-6643 | 이메일 olbooks@daum.net
출판등록 2020년 1월 7일(제2020-000115호)

ISBN 979-11-969309-6-7 03400